まちごとインド
北インド032

アムリトサル
シク教徒と「黄金寺院」
［モノクロノートブック版］

JN121939

インド北西部に位置するパンジャーブ州の中心都市アム
リトサル。ここはヒンドゥー教とイスラム教を批判的に
融合させたシク教最高の聖地で、ターバンを巻き、恰幅の
よい体格（ヒンドゥー教徒と違って肉食するところから）をもつシク
教徒の姿が見られる。

　　この街の中心には、シク教徒にとって神聖な場所で
ある黄金寺院が立ち、街はこの聖地を中心に拡大してき
た。16世紀、第4代グル・ラームダースの時代にここに土

地があたえられ、第5代グル・アルジュンの時代にハリ・マンディル(黄金寺院)が建てられた。

　インドとパキスタン両国にわかれているパンジャーブ地方で、15世紀以来、シク教は広がりを見せ、19世紀には独立したシク王国が樹立されたこともあった。1947年の印パ分離独立でシク教徒はインド側へ移住し、聖地アムリトサルには多くのシク教徒が巡礼に訪れている。

Asia City Guide Production
North India 032
Amritsar
ਅੰਮ੍ਰਿਤਸਰ / अमृतसर / امرتسر

まちごとインド　北インド 032

アムリトサル

シク教徒と「黄金寺院」

「アジア城市（まち）案内」制作委員会
まちごとパブリッシング

Contents

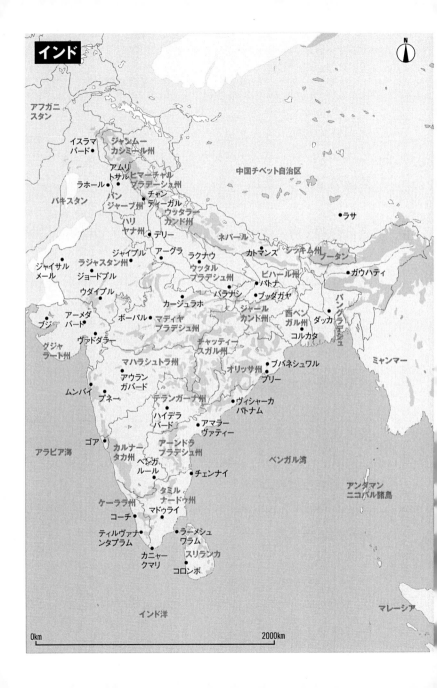

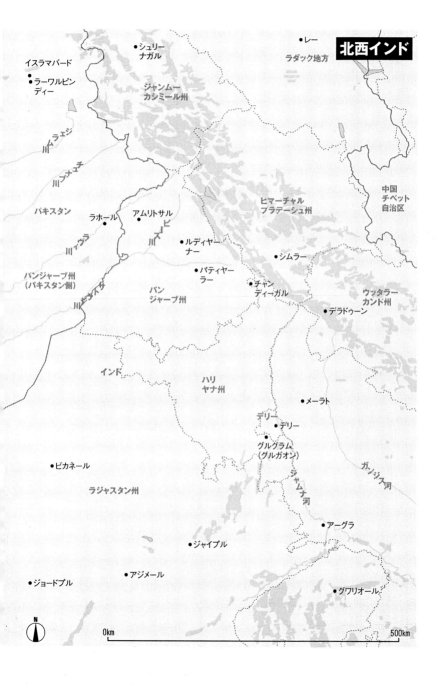

甘露の泉がわく聖地

ヒンドゥー教とイスラム教を融合させたシク教
アムリトサルはその聖地で
カラフルなターバンを巻いたシク教徒が見られる

シク教総本山

　シク教はパンジャーブ地方の小さな村に生まれたグル・ナナク(1469〜1538年)によってはじめられた宗教で、16世紀以降この地方に広がりを見せた。シク教では「ヒンドゥーもムスリムもいない」として両者を批判的に融合させ、表面的な儀式やカースト、儀礼が否定され、唯一絶対の神が信仰された(シクとはサンスクリット語で「弟子」を意味する)。シク教寺院(グルドワーラー)ではカーストが低い人々にも門戸を開き、シク教の聖典『グル・グラント・サーヒブ』にはヒンドゥー教、イスラム教に関わらず、シク教の考えに近い詩がおさめられている。

地名の由来

　アムリトサルがシク教聖地となるのは、第4代グル・ラームダースがムガル帝国第3代アクバル帝に土地をあたえられ、移り住んだことにはじまる。近くのパティやカスールから住人や商人が呼ばれ、当初はラームダースプルと呼ばれていた。その後、この地はグル・ナナクが神からあたえられて飲んだという甘露アムリト(アムリタサラス)に因んでアムリトサルと名づけられた。甘露はヒン

ドゥー教でも古くから神々に愛された飲みもの(ヴィシュヌ神が攪拌したという)で、シク教では現在も入信式のときに飲むことで知られる。

文明のはざまで

　パンジャーブの地でシク教が広がりを見せたのは、ここがちょうど土着のインド文明と南アジアに侵入してきた外来の文明が交わる結節点であったことがあげられる。12世紀以後、イスラム勢力が本格的に中央アジアから南アジアに進出するようになり、パンジャーブ地方はインドへの玄関口となっていた。ヒンドゥー教とイスラム教を融合させたシク教がこの地で生まれているほか、宗教の違いがもととなって分離独立したインドとパキスタンの国境線がこの地方でひかれている(パンジャーブ州はインドとパキスタンの双方に存在する)。

アムリトサルの歴史

　アムリトサルの歴史は、この地で信仰されているシク教の歴史と密接に関わっている。ラホール近郊のタルワンディーに生まれたグル・ナナク(1469〜1538年)によって創始されたシク教の教団は、第2代、第3代グルへと受け継がれていった。第4代グル・ラームダース(1534〜81年)は、シク教徒がともに信仰を守り、生活できるよう、1570年、アムリトサルの地に池を掘り、1577年、街も完成した(グル・ナナクは1502年と1532年にこの場所を訪れたといい、グルたちはパンジャーブ各地にシク教徒のための街を築いていった)。続く第5代グル・アルジュン(1563〜1606年)のときにハリ・マンディル(黄金寺院)が建てられ、第6代グル・ハルゴーヴィンド(1595〜1644年)はアカリ・タクトを建設。ここにシク教の宗教的聖地(ハリ・マンディル)と、シク教徒を政治的にまとめる(アカリ・

全体が黄金色をしているためゴールデンテンプルと呼ぶ

ヒンドゥーやイスラムの様式をとり入れたシク教寺院

アムリタ・サラスに浮かぶように立つ黄金寺院

アムリトサル旧市街にて

タクト）というアムリトサルの性格が確立した。やがて、第10代グル・ゴーヴィンド（1666〜1708年）は、教団の武装化を進め、次のグルを聖典『グル・グラント・サーヒブ』とした。18世紀以降、シク教徒はミスルと呼ばれる軍団（小国家）がパンジャーブ各地に割拠するようになり、アムリトサルは各ミスルの代表が集まって重要な会議を行なう聖地という性格をもっていた。マハラジャ・ランジート・シング（1780〜1839年）はこれらのミスルをまとめあげ、ラホールとアムリトサルを中心とするシク王国（19世紀初頭〜1849年）を樹立し、アムリトサルは空前の繁栄を見せた（各地からの隊商が訪れ、そのにぎわいを記録している）。街の周囲には城壁が築かれ、黄金寺院、グルドワーラー、バザールや街区の再整備を行ない、現在のアムリトサルの原型はこの時代にさかのぼる。インドで最後まで独立をたもったパンジャーブも、ふたつのシク戦争ののち、イギリス植民地下に入り、当時の植民地建築が街の中心やアムリトサル駅の北側のカントンメントに残っている。アムリトサルは、その歴史のなかでムガル帝国からの弾圧、アフガニスタンやペルシャ勢力の攻撃をたびたび受け、20世紀にシク教徒の「カーリスタン（カルサの国）」運動の中心地となったこともあり、軍が動員されて血が流されるという悲劇の聖地でもあった。

アムリトサルの構成

　アムリトサルは、黄金寺院（ハリ・マンディル）を中心に街がつくられている。そこから放射状に細い路地が伸び、街のいたるところにシク教寺院のグルドワーラーが立ち、各地からの巡礼者はたえることがない。アムリトサル旧市街は、かつてシク王国時代の1820年にランジート・シングによって築かれた城壁がめぐらされ、当時のハーヴェリーや建物も残っている（旧市街を豆型＝変形楕円形にとり囲むリ

ングロードが城壁跡で、首都ラホールに向かう西のラホール門が正門だっ
た)。アムリトサルが最高の繁栄を迎えたこの時代、街の
北西にはゴーヴィンド・ガル要塞、北側には夏の離宮(ラー
ム庭園)も整備された。19世紀以後のイギリス植民地時代
に入ると、城壁は撤去され、旧市街北側に鉄道駅とイギリ
ス人居住区(カントンメント)がつくられた。この時代、街は拡
大をはじめ、宗教都市という性格とは別に、ラホール、デ
リーを結ぶ大幹道グランド・トランク・ロード上に位置す
る交易都市という性格ももっていた。

シク教とムガル帝国

　初代グル・ナナク(1469〜1538年)がパンジャーブで布教
していたとき、中央アジアからの征服王朝ムガル帝国の
初代バーブル帝(1483〜1530年)は、何度もパンジャーブか
らインド征服の機会をうかがっていた。シク教グルとム
ガル帝国初期の皇帝は、ほぼ重なるように同時代に生き、
ムガル帝国第3代アクバル帝は、シク教第3代グル・アマル
ダースの暮らすゴーヴィンド村を訪れ、地面に坐ってと
もに食事をとったという(ヒンドゥー教とイスラム教の融和を目指
したアクバル帝にとって、シク教は理想的な宗教であるとも見えた)。そ
して、アクバル帝からの贈りものを拒否したグルではな
く、その妻にアムリトサルの土地が与えられ、シク教聖地
の歴史ははじまったという(またグル・ナナクの保養に訪れていた
池のそばに第4代グル・ラームダースが小屋を建てたことにはじまるとい
う説がある)。ハリ・マンディル(黄金寺院)を建立し、教団の組
織化を進める第5代グル・アルジュン(1563〜1606年)は、ム
ガル帝国第4代ジャハンギールによってラホールで処刑
され、最初の殉教者となった。以後、シク教徒はムガル帝
国の弾圧をたびたび受けることになり、1857〜59年のイ
ンド大反乱では、ムガル皇帝が反イギリスの象徴とされ
たが、シク教徒は反乱を鎮圧するイギリス側にまわった。

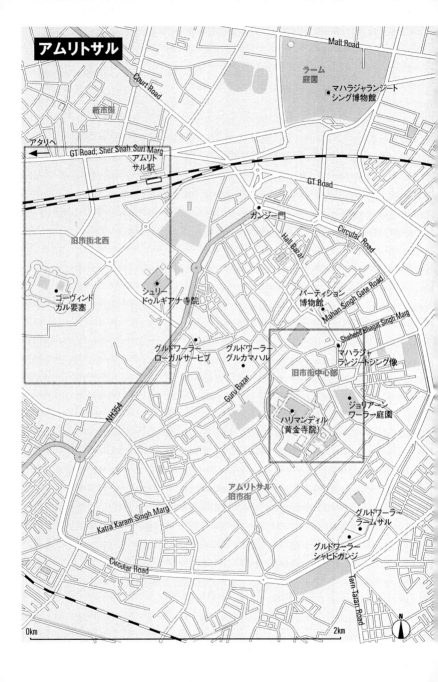

アムリトサル

Mall Road

ラーム庭園

マハラジャランジートシング博物館

Court Road

新市街

アタリへ
GT Road; Sher Shah Suri Marg
アムリトサル駅

GT Road

ガンジー門

Circular Road

Hall Bazar

旧市街北西

シュリードゥルギアナ寺院

パーティション博物館

Mahan Singh Gate Road

Shaheed Bhagat Singh Marg

ゴーヴィンドガル要塞

グルドワーラーローガルサーヒブ

グルドワーラーグルカマハル

マハラジャランジートシング像

Guru Bazar

旧市街中心部

NH354

ハリマンディル（黄金寺院）

ジョリアーンワーラー庭園

アムリトサル旧市街

Katra Karam Singh Marg

グルドワーラーラームサル

グルドワーラーシャヒドガンジ

Circular Road

Tarn Taran Road

0km   2km

N

★★★

黄金寺院（ハリ・マンディル） Golden Temple（Hari Mandir）
アムリトサル旧市街 Old Amritsar

★★☆

パーティション博物館（タウン・ホール） Partition Museum
マハラジャ・ランジート・シング像 Statue of Maharaja Ranjit Singh
ジョリアーン・ワーラー庭園 Jalianwala Bagh
グルドワーラー・グル・カ・マハル Gurudwara Guru Ka Mahal
グルドワーラー・ラームサル Gurdwara Ramsar
シュリー・ドゥルギアナ寺院 Shri Durgiana Tirth
ゴーヴィンド・ガル要塞 Govind Garh Fort
ラーム庭園 Ram Bagh

★☆☆

グルドワーラー・シャヒド・ガンジ・サーヒブ Gurdwara Shaheed Ganj Sahib
ホール・バザール Hall Bazar
アムリトサル駅 Amritsar Junction Railway Station
グランド・トランク・ロード Grand Trunk Road
マハラジャ・ランジート・シング博物館 Maharaja Ranjit Singh Museum

Golden Temple

黄金寺院鑑賞案内

シク教最高の聖地アムリトサル
その中心に立つのが黄金の輝きを放つハリ・マンディル
印象的なターバンを巻いたシク教徒が巡礼に訪れる

ハリ・マンディル ★★★

Hari Mandir Ⓐ ਹਰਿਮੰਦਰ ਸਾਹਿਬ (ਦਰਬਾਰ ਸਾਹਿਬ) ／Ⓒ ਹਰਿਮੰਦਿਰ ਸਾਹਿਬ
Ⓟ حرمندر صاحب

　第4代グル・ラームダースによって1577年に完成した
アムリトサルの街。その中心に掘られたサロワル(沐浴池)
で、1589年、第5代グル・アルジュンがハリ・マンディル(神
の宮殿)の建設をはじめた。この寺院の礎石は、イスラム教
スーフィーのミャーン・ミール(1550～1645年)によって築
かれ、建設作業はバーイー・ブッダによって進められたと
いう。1601年に建物が完成すると、グル・アルジュンはシ
ク教の聖典『グル・グラント・サーヒブ』が運びこみ、本殿
に安置された。こうしてシク教最高の聖地アムリトサル
のハリ・マンディルが完成し、シク王国時代の1805年にラ
ンジート・シングによって純白の大理石と黄金で寺院が
彩られたことから、「ゴールデン・テンプル(黄金寺院)」の名
前で呼ばれるようになった(アフガニスタンからの侵略者によっ
て1747年と1767年に破壊され、その後もインディラ・ガンディーによるブ
ルースター作戦で破壊をこうむったが、その都度、再建されてきた)。寺
院の建築様式はムガル様式や後期ラージプート様式に近
いが、神への敬意を示すため、周囲よりも意図的に低い場
所に建てられていて、周囲の4方向に門をもつなど、シク
教の教えが黄金寺院の建築を通して体現されている。ア

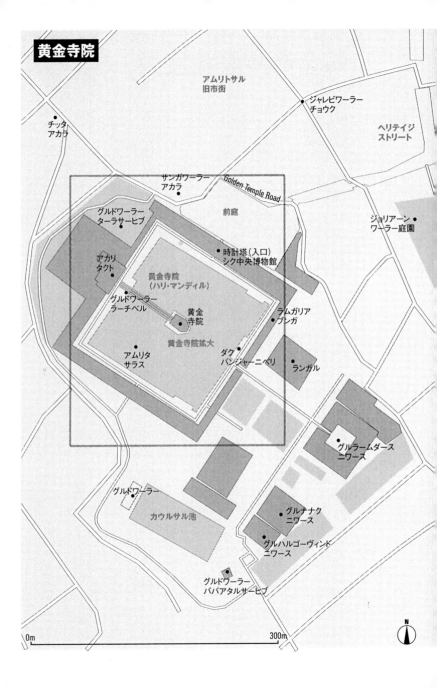

黄金寺院

アムリトサル
旧市街

ジャレビワーラー
チョウク

ヘリテイジ
ストリート

チッタ
アカラ

サンガワーラー
アカラ

Golden Temple Road

前庭

ジョリアーン
ワーラー庭園

グルドワーラー
ターラサーヒブ

時計塔（入口）
シク中央博物館

アカリ
タクト

黄金寺院
（ハリ・マンディル）

グルドワーラー
ラーチベル

黄金
寺院

ラムガリア
ブンガ

黄金寺院拡大

ダク
バンジャーニベリ

ランガル

アムリタ
サラス

グルラームダース
ニワース

グルドワーラー

カウルサル池

グルナナク
ニワース

グルハルゴーヴィンド
ニワース

グルドワーラー
ババアタルサーヒブ

0m   300m

N

ムリタ・サラスの中央に浮かぶように立つ黄金寺院の周囲にランガル、グルドワーラーや塔、ブンガ(休息所)が集まるシク教の一大宗教複合建築で、巡礼者がたえることなく訪れる。ハリ・マンディル・サーヒブ、ダルバール・サーヒブ、ゴールデン・テンプル(黄金寺院)など、いくつもの名前で呼ばれる。

シク教寺院の構造

　シク教の聖典『グル・グラント・サーヒブ』がおかれたシク教寺院をグルドワーラーと呼び、黄金寺院のように大きなものから、建物の一室をとったような小さな規模のものまである。壁面を白色でぬられた寺院が多く、「神の前では誰もが平等だ」と説く教えから、扉が四方向に備えられている(バラモン、クシャトリヤ、ヴァイシャ、シュードラというすべての人々に向けて開かれていることを意味するという)。また神への謙虚さを示すために、平地から一段低いところに基壇がおかれている。

★★★
黄金寺院 (ハリ・マンディル) *Golden Temple (Hari Mandir)*
アカリ・タクト *Akal Takht*
ランガル *Guru Ka Langar*
アムリトサル旧市街 *Old Amritsar*

★★☆
時計塔 *Clock Tower*
アムリタ・サラス (不死の池) *Amrita Saras*
ラムガリア・ブンガ *Ramgarhia Bunga*
グルドワーラー・ババ・アタル・サーヒブ *Gurdwara Baba Atal Sahib*
ジョリアーン・ワーラー庭園 *Jalianwala Bagh*

★☆☆
シク中央博物館 *Central Sikh Museum*
ダク・バンジャーニ・ベリ *Dukh Bhanjani Beri*
グルドワーラー・ラーチ・ベル *Gurudwara Lachi Ber*
グルドワーラー・ターラ・サーヒブ *Gurudwara Thara Sahib*
カウルサル池 *Kaulsar Sarovar*
ヘリテイジ・ストリート *Heritage Street*
ジャレビワーラー・チョウク *Jalebiwala Chowk*
サンガワーラー・アカラ *Sangawala Akhara*
チッタ・アカラ *Chitta Akhara*

時計塔 ★★☆
Clock Tower／Ⓟ ਕਲਾਕ ਟਾਵਰ／Ⓣ चटाघर／Ⓤ گھنٹا گھر

　グルドワーラーは、すべての人に対して公平に開かれているという意味合いから4方向に門がある。そのうち、東側の時計塔が黄金寺院の正門にあたり、白亜の建築本体、ドーム屋根のたたずまいを見せる。この時計塔の門前は、広場になっている。

シク中央博物館 ★☆☆
Central Sikh Museum　Ⓟ ਸਿੱਖ ਅਜਾਇਬ ਘਰ／Ⓣ सेंट्रल सिख म्यूज़ियम／Ⓤ مرکزی سکھ میوزیم

　黄金寺院(ハリ・マンディル)東側の入口に立つシク中央博物館。時計塔の2階が博物館となっていて、シク教の歴史や文化、ムガル帝国との闘争、弾圧された悲劇といった内容の展示が見られ、またシク教の教祖グル、聖者、戦士などの絵画、コイン、武器、古代の写本、グルの使ったカンガ(櫛)、戦士のターバン、楽器などを収蔵する。1958年に開館した。

アムリタ・サラス(不死の池) ★★☆
Amrita Saras　Ⓟ ਸਰੋਵਰ／Ⓣ जलाशय／Ⓤ جلاب

　ムガル帝国アクバル帝から第3代グルが与えられた土地に、第4代グル・ラームダースが開削したアムリタ・サラス(不死の池)。「神話時代に醸造された」という神聖な飲みものアムリトにちなみ、この池の名前が1577年に完成したアムリトサルの街名となっている。シク教徒はこの池の水をアムリトととらえ、グル・ナナクが神から授けられたものとしてヒンドゥー教徒にもまして神聖視している(シク教徒は、カールサー入団のときにアムリトを飲み、飲んだ者は不死になると信じられている)。当初は雨水だけで満たされていたが、雨が十分でないとかわいてしまうことから、イギリス統治時代の1866年に運河と接続され、豊かな水をたたえ

インドを代表する聖域のハリ・マンディル=黄金寺院

甘露の泉アムリタ・サラス

時計塔が黄金寺院への入口になる

2本の監視塔がそびえるラムガリア・ブンガ

黄金寺院拡大

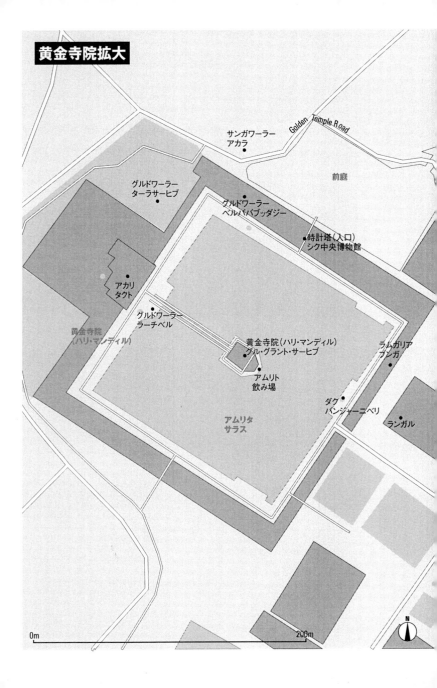

サンガワーラー
アカラ

Golden Temple Road

前庭

グルドワーラー
ターラサーヒブ

グルドワーラー
ベルババブッダジー

時計塔（入口）
シク中央博物館

アカリ
タクト

グルドワーラー
ラーチベル

黄金寺院
（ハリ・マンディル）

黄金寺院（ハリ・マンディル）
グル・グラント・サーヒブ

ラムガリア
ブンガ

アムリト
飲み場

ダク
バンジャーニベリ

ランガル

アムリタ
サラス

0m　　　　　　　　　　　　　　　　　　　　　　200m

N

るようになった。アミリタ・サラスを囲むように巡礼路(回廊)が整備され、シク教では身なりの清浄を説くところから、この池の周囲では沐浴するシク教徒の姿が見られる。深さは5mほどになるという。

ダク・バンジャーニ・ベリ ★☆☆
Dukh Bhanjani Beri／Ⓗ दुध डंज्जली बेरी／Ⓔ दुख भांजनी बेरी／
Ⓤ دکھ بھانجنی بیری

アミリタ・サラスの東側、黄金寺院を眺める絶好の場所に立つダク・バンジャーニ・ベリ。このナツメの古木の名称ダク・バンジャーニ・ベリとは、「苦しみの根絶」を意味する。昔、ビビ・ラジャーニの夫はハンセン病だったが、この場所で沐浴するとそれが治った。以来、ここで沐浴すると病気が癒えると信じられている。

ラムガリア・ブンガ ★★☆
Ramgarhia Bunga　Ⓗ राभगड़ीआ घुंगा／Ⓔ रामगढ़िया बुंगा／Ⓤ رامگڑھیا بنگا

1755年、マハラジャ・ジャッサ・シン・ラムガリアが建設したラムガリア・ブンガ。ブンガとはもともとペルシャ語で、「旅行者が休むところ」を意味し、黄金寺院を巡礼に訪れる人のための休息所となっていた(黄金寺院の周囲には84の

★★★
黄金寺院(ハリ・マンディル) Golden Temple (Hari Mandir)
アカリ・タクト Akal Takht
グル・グラント・サーヒブ Guru Granth Sahib
ランガル Guru Ka Langar

★★☆
時計塔 Clock Tower
アムリタ・サラス(不死の池) Amrita Saras
ラムガリア・ブンガ Ramgarhia Bunga

★☆☆
シク中央博物館 Central Sikh Museum
ダク・バンジャーニ・ベリ Dukh Bhanjani Beri
グルドワーラー・ラーチ・ベル Gurudwara Lachi Ber
グルドワーラー・ターラ・サーヒブ Gurudwara Thara Sahib
グルドワーラー・ベル・ババ・ブッダジー Gurudwara Ber Baba Buddha Ji
サンガワーラー・アカラ Sangawala Akhara

ブンガがあり、教育や政治について話す会議場所となり、シク社会で重要な役割を果たした)。ジャッサ・シン・ラムガルヒアはシク教徒の軍団ミスルのうち、ラムガリア・ミスルの長で、アムリトサルを巨大な土壁で囲んで最初に要塞化した(ラム・ナバミ＝神の要塞)。黄金寺院と周囲を監視する高さ48mのミナレット(監視塔)が2本立ち、1783年にジャッサ・シン・ラムガリアひきいるシク軍が攻略したデリーのラール・キラの戦利品(白の続く壁面のうち、赤砂岩となっている一部分)も見える。

アカリ・タクト ★★★

Akal Takht /Ⓐ ਅਕਾਲ ਤਖ਼ਤ /Ⓔ अकाल तख़्त /Ⓤ اکال تخت

第5代グル・アルジュンによる黄金寺院(祈りの場、宗教的権威)と向かいあうように立つ「不滅の玉座」アカリ・タクト。アカリとは「無限の神の讃仰者」、タクトとは「玉座」を意味し、シク教社会(世俗的、社会的権威)で最高の権力をもつ。前代グルの遺言もあって、第6代グル・ハル・ゴーヴィンド(1595〜1644年)が1609年に創建、シク教最高権力者の坐る玉座がおかれた。当時、ムガル帝国では、ジャハンギール帝の名で、「ムガル皇帝以外の者は高さ3フィート以上の玉座には坐れない」というおふれがあったが、このアカリ・タクトの玉座は12フィートの高さに設定され、ムガル帝国に屈しないシク教徒の精神が示された。グル・ハル・ゴーヴィンドはローブをまとい、2本の剣をもって、ここアカリ・タクトで、人びとの意見に耳をかたむけ、裁判を行なった。現在の建物の1階は1774年のもので、黄金のドームを載せる残りの上部階はマハラジャ・ランジート・シング(1780〜1839年)の時代に完成した。グル・ハルゴーヴィンドによるアカリ・サルという井戸と、バーグ・アカリアンが併設するほか、店舗、住宅、庭園、農地などの多くがこのアカリ・タクトに帰属している(1984年のブルースター作戦で、壊滅したがその後、再建された)。

グルドワーラー・ラーチ・ベル ★☆☆

Gurudwara Lachi Ber／Ⓐ ਗੁਰਦੁਆਰਾ ਲਾਚੀ ਬੇਰ　Ⓔ ਗੁਰਦੁਆਰਾ ਲਾਚੀ ਬੇਰ
Ⓞ گردوارا لاچی بیر

　黄金寺院(ハリ・マンディル)への橋が伸びる地点に立つ
グルドワーラー・ラーチ・ベル。寺院の建設中、グル・アル
ジュンとバーイー・サロジーがここに坐って、工事の様子
を監督していたという。1740年、ハリ・マンディルはムガ
ル軍に占領され、ここで踊ったり、ワインを飲んで聖地を
侮辱した。その話を聞いたふたりのシク戦士が税金を納
める農民を装って、ムガル軍司令官に近づいて殺害した
という。

黄金寺院(ハリ・マンディル) ★★★

Golden Temple／Ⓐ ਹਰਿਮੰਦਰ ਸਾਹਿਬ (ਦਰਬਾਰ ਸਾਹਿਬ)　Ⓔ ਗੋਲਡਨ ਟੈਂਪਲ
Ⓞ ہرمندر صاحب

　アムリタ・サラスの中央に浮かぶように立つ、「シク教
最高の聖域」黄金寺院(ゴールデン・テンプル)。1589年、第5代
グル・アルジュンによって建てられ、「神の家」を意味する
ハリ・マンディルという正式名称をもつ。イスラムとヒン
ドゥー様式の融合した3階建ての本体壁面には金箔がは
られ、純金のドームを載せる。これはシク王国のマハラ
ジャ・ランジート・シング(1780~1839年)によるもので、以
後、「黄金寺院(ゴールデン・テンプル)」の愛称で呼ばれるよう
になった。寺院内部はグル・アルジュンによって編纂され
たシク教聖典『グル・グラント』の原本がおかれ、壁面には
聖典の詩が刻まれている(10代目のグルは次のグルを指名せず、聖
典グル・グラントをグルに定めた)。この黄金寺院では24時間絶
えることなく、聖歌が謳われ、シク教徒を中心に巡礼者の
姿が見られる。アムリタ・サラスに面して、アムリット(甘
露)を飲む場所もそなえられている。

このなかに聖典グル・グラント・サーヒブが安置されている

黄金色の建物が湖に映える

信仰対象にもなっている古樹ダク・バンジャーニ・ベリ

「不滅の玉座」アカリ・タクト、その前方にグルドワーラー・ラーチ・ベル

壁面の装飾、窓枠に職人の技術が光る

グル・グラント・サーヒブ ★★★

Guru Granth Sahib Ⓐ ਗੁਰੂ ਗ੍ਰੰਥ ਸਾਹਿਬ／Ⓔ ਗੁਰੂ ਗ੍ਰੰਥ ਸਾਹਿਬ／
Ⓟ گرو گرنتھ صاحب

シク教の聖典『グル・グラント・サーヒブ』には歴代グルによって編まれた詩、シク教と理念を同じくするヒンドゥーやイスラム聖者の詩が載せられている。第5代グル・アルジュンによって編纂され、黄金寺院には1430ページという膨大な量からなる聖典の原本がおかれている。また第10代グル・ゴーヴィンド・シングはグルを人間ではなく、この聖典に選んだため、聖典そのものが信仰対象となっている。『グル・グラント・サーヒブ』のわきには従者がいて、人間に対するようにうちわで風を送るといった光景も見られる。

聖なる文字グルムキー文字

パンジャーブ語を表記するグルムキー文字という名称は、シク教のグルの口から発せられた聖なる言葉「グルムク(グルの口)」に由来する。このグルムキー文字は、ブラフミー文字からグプタ文字、シャーラダー文字へと続く系列にあり、当時、北西インドで使われていたターカリー文字、ランダー文字を、シク教の第2代グル・アンガッド(1504～52年)が取捨選択して整備したもの(デーヴァナーガリー文字を参考にして、母音表記をととのえ、読みやすくした)。35種類の基本形があり、このグルムキー文字でシク教の聖典『グル・グラント・サーヒブ』は記されている。シク教徒の文字としてはじまったグルムキー文字は、パンジャーブ一帯に広がり、インドのパンジャーブ州で使われている一方、パキスタン側ではパンジャーブ語はアラビア文字で表記される。

グルドワーラー・ターラ・サーヒブ ★☆☆

Gurudwara Thara Sahib ⑪ ਗੁਰਦੁਆਰਾ ਥੜ੍ਹਾ ਸਾਹਿਬ ／
ⓗ गुरुद्वारा थारा साहिब ／ ⑦ گرودوارہ تھاڑا صاحب

　　アカリ・タクトの東側に立つ第9代グル・テグ・バハ
ドゥール(1621～75年)ゆかりの場所グルドワーラー・ター
ラ・サーヒブ。グルになる前、グル・テグ・バハドゥールは
ババ・バカラで11年間修行して、その他の候補者を押しの
けてグルになることが決まった。グル・テグ・バハドゥー
ルがアムリトサルを訪れると、司祭たちは自分たちの仕
事を失うことを恐れて、寺院のドアを閉めた。そのため、
グル・テグ・バハドゥールは黄金寺院から少し離れたグル
ドワーラー・ターラ・サーヒブの場所に滞在し、祈りを捧
げた。第9代グルは、ムガルの軍隊と勇敢に戦ったため、
「テグ・バハドゥール(勇敢な剣)」と呼ばれた。

グルドワーラー・ベル・ババ・ブッダジー ★☆☆

Gurudwara Ber Baba Buddha Ji ⑪ ਗੁਰਦੁਆਰਾ ਬਾਬਾ ਬੁੱਢਾ ਸਾਹਿਬ ਜੀ ／
ⓗ गुरुद्वारा बेर बाबा बुधा साहिब ／ ⑦ گرودوارہ بیر بابا بدھا صاحب

　　ハリ・マンディルの最初の住職ババ・ブッダジーを記念
したグルドワーラー・ベル・ババ・ブッダジー。ナツメの古
樹があり、ババ・ブッダジーはこの木陰で寺院の工事を進
めたという。時計塔の北側に立つ。

ランガル ★★★

Guru Ka Langar ⑪ ਗੁਰੂ ਕਾ ਲੰਗਰ ／ ⓗ गुरु का लंगर ／ ⑦ لنگر

　　すべての人の平等や友愛を説くシク教の理念を体現す
る共同炊事場ランガル(グル・カ・ランガル)。カースト制にも
とづく厳しい食事の制限があるヒンドゥー教に対して、
シク教ではグル・ナナク(1469～1538年)の時代からすべて
の人間が食事のほどこしを受けられるランガルの伝統が
あった。そしてムガル帝国第3代アクバル帝がゴーヴィン
ド村に第3代グル・アマルダースを訪れて、ともに地面に

坐って食事をともにしたことで、ランガルの制度が確立した(カーストのヒエラルキーに関係なく、高貴な者も、庶民も同じく地面に坐って食事をとる)。アムリトサルのランガルには1日10万人が訪れることもめずらしくなく、訪れる者すべてが食事のほどこしを受けられる。毎日100袋以上の小麦粉、50000リットルの牛乳、砂糖、ギー、米、穀物が使用され、このランガルを維持するために、シク教徒の富裕者は莫大な寄進を行ない、シク教徒は収入の10分の1を地域社会に寄付するという。

グルドワーラー・ババ・アタル・サーヒブ ★★☆

Gurdwara Baba Atal Sahib／Ⓝ ਗੁਰਦੁਆਰਾ ਬਾਬਾ ਅਟਲ ਰਾਏ ਸਾਹਿਬ ਜੀ／
Ⓣ गुरुद्वारा बाबा अटल साहिब　Ⓤ گردوارہ بابا اٹل رائے صاحب

　第6代グル・ハルゴーヴィンド(1595～1644年)の息子アタル・ライゆかりの白の八角形の塔グルドワーラー・ババ・アタル・サーヒブ。1676年に生まれたアタル・ライは、子どものころから聡明でババ(老師)と呼ばれていた。アタル・ライが9歳のとき、一度は死んだ友人を自分の力で蘇らせることに成功した。すると父親のグルは、それは神のみ許されたことだ、とアタル・ライを戒めた。アタル・ライは「それでは1人の生命の代わりに、1人の生命を捧げましょう」と言って自らの生命を絶った。9歳で殉教したこのアタル・ライを記念して、グルドワーラー・ババ・アタル・サーヒブは1778～84に建てられた。アムリトサル旧市街でも一際目立つ高さ33m、9階建ての塔となっていて、アムリトサルでは、これより高い建物を建てることは許されてない。ここを訪れると「願いは叶う」「餓えることもなくなる」という。2、3階には美術品が展示されている。

カウルサル池 ★☆☆

Kaulsar Sarovar／Ⓝ ਕੌਲਸਰ ਸਰੋਵਰ／Ⓣ कौल्सर सरोवर／Ⓤ کولسر سروور

　グルドワーラー・ババ・アタル・サーヒブ(塔)のほとり

に広がるカウルサル池。ラホールのカージの養女で、ム
スリムとして育てられたカウルサルゆかりの地で、カウ
ルサルはイスラム教やヒンドゥー教といった宗教の枠を
超えた精神性をもつ女性だとされる。親類から迫害を受
け、スーフィーの集会でグルを見て、信仰者となり、第6代
グル・ハルゴーヴィンド(1595〜1644年)のもとへ逃れてき
た。黄金寺院の立つアムリタ・サラスに行く前にカウルサ
ル池で沐浴する人も多く、グルドワーラー・カウルサル・
サーヒブが隣接する。

悲劇の地

　1947年のインド独立後、パンジャーブ地方は農産物の
多くを収穫するインド有数の肥沃な土地だったが、この
地の人々は十分な利益や権利を受けることができなかっ
た。またシク教が独自の歴史や文化をもつことから、パン
ジャーブ州の分離独立を求めるシク教徒の過激派が1984
年、黄金寺院にたてこもった。この過激派にインディラ・
ガンディー首相は強行的な態度をとり、インド陸軍が銃
火のあらしをあびせたことで、1000人のシク教徒が生命
を落とした(ここは聖地のため、軍は作戦を裸足で行なった)。同年、
聖地を汚されたという反感を買って、インディラ・ガン
ディーは護衛のシク教徒に暗殺されることになった。

旧市街中心部城市案内

黄金寺院ことハリ・マンディル・サーヒブを中心に
網の目のように広がる複雑な路地
アムリトサルの歴史的街区を歩く

アムリトサル旧市街 ★★★

Old Amritsar Ⓐ ਪੁਰਾਣਾ ਅੰਮ੍ਰਿਤਸਰ Ⓔ पुराना शहर / Ⓤ پرانا شہر

　1570年、第4代グル・ラームダースはアクバル帝よりあ
たえられたこの地に、池を掘り、シク教徒の信仰を守って
生活できる街の建設をはじめた。これがアムリトサルの
はじまりで、近くのパティやカスールから住人や商人が
呼ばれ、街は1577年に完成した。この街の中心に立つのが
ハリ・マンディルで、そこから周囲には迷路のように路地
がめぐり、シク教寺院グルドワーラー、沐浴池が各所に点
在する。シク教勢力は、グル時代以降、ミスルと呼ばれる
軍団(小国家)に分割されたが、アムリトサルはそのなかで
もジャサ・シン・アルワリア、ジャサ・シン・ラムガリアな
ど、有力なミスルの指導者によって統治された(16～18世紀
にかけて、アムリトサル旧市街は黄金寺院を中心に徐々に南北に広がって
いた。またムガル帝国との戦いのなかでアムリトサルも要塞化されていっ
た)。アムリトサル旧市街が現在の姿になるのは、ランジー
ト・シング(1780～1839年)のシク王国時代で、1820年に周囲
に城壁がめぐらされ、12の門が立っていた(そのうちシク王国
の都ラホールに続くラホール門が正門にあたった)。ランジート・シン
グは当時、マールワーリー商人を住まわせて交易を振
興し、アムリトサルはアフガニスタン、ペルシャ、中央ア
ジア、イギリス領インド、チベットへ続く交易の中心地と

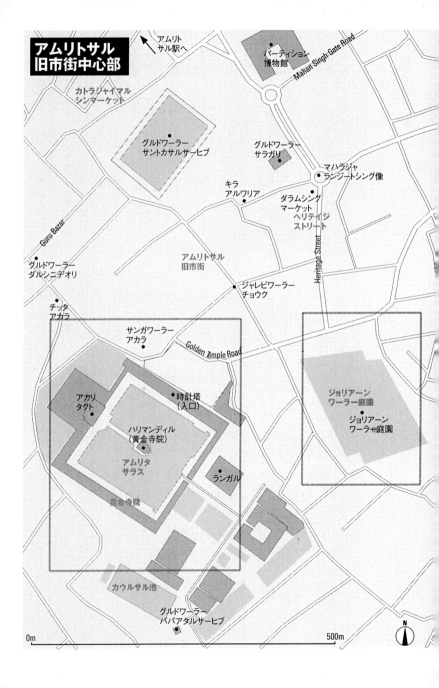

アムリトサル
旧市街中心部

アムリトサル駅へ

Mahan Singh Gate Road

パーティション
博物館

カトラジャイマル
シンマーケット

グルドワーラー
サントカサルサーヒブ

グルドワーラー
サラガリ

キラ
アルワリア

マハラジャ
ランジートシング像

ダラムシング
マーケット
ヘリテイジ
ストリート

Guru Bazar

グルドワーラー
ダルシニデオリ

アムリトサル
旧市街

Heritage Street

ジャレビワーラー
チョウク

チッタ
アカラ

サンガワーラー
アカラ

Golden Temple Road

ジョリアーン
ワーラー庭園

ジョリアーン
ワーラー庭園

アカリ
タクト

時計塔
(入口)

ハリマンディル
(黄金寺院)

アムリタ
サラス

ランガル

黄金寺院

カウルサル池

グルドワーラー
ババアタルサーヒブ

0m

500m

N

なっていた。小麦、米、コットン、砂糖、インディゴ、塩が輸出され、黄金、銀、鉄、シルク、羊毛、香辛料、ドライフルーツ、馬などが輸入されていた。現在も豆のような変形楕円形の旧市街の街区が見られ、当時の市場、ハーヴェリー、ガーデンハウスが今も残る。

パーティション博物館（タウン・ホール）★★☆

Partition Museum／Ⓐ ਪਾਰਟੀਸ਼ਨ ਅਜਾਇਬ ਘਰ／Ⓔ पर्तितिओं म्यूज़ियम
Ⓤ پارٹیشن میوزیم

　パーティション博物館はかつてタウン・ホールと呼ばれて、イギリス植民地時代の行政庁舎がおかれていた。二度のシク戦争（1845〜46年、48〜49年）をへて、1849年にアムリトサルはイギリスの統治下に入った。タウンホールは、黄金寺院からほど近い場所に1866年に建てられ、この地方の行政の中心地となっていた。イギリスはシク王国時代の城壁を撤去し、旧市街の北側に新市街カントンメン

★★★
黄金寺院（ハリ・マンディル） Golden Temple (Hari Mandir)
アカリ・タクト Akal Takht
ランガル Guru Ka Langar
アムリトサル旧市街 Old Amritsar

★★☆
時計塔 Clock Tower
アムリタ・サラス（不死の池） Amrita Saras
グルドワーラー・ババ・アタル・サーヒブ Gurdwara Baba Atal Sahib
パーティション博物館（タウン・ホール） Partition Museum
マハラジャ・ランジート・シング像 Statue of Maharaja Ranjit Singh
ジョリアーン・ワーラー庭園 Jalianwala Bagh

★☆☆
カウルサル池 Kaulsar Sarovar
グルドワーラー・サントカサル・サーヒブ Gurudwara Santokhsar Sahib
カトラ・ジャイマル・シン・マーケット Katra Jaimal Singh Market
グルドワーラー・サラガリ Gurdwara Saragarhi
ダラム・シング・マーケット Dharam Singh Market
ヘリテイジ・ストリート Heritage Street
キラ・アルワリア Qila Ahlwalia
ジャレビワーラー・チョウク Jalebiwala Chowk
サンガワーラー・アカラ Sangawala Akhara
チッタ・アカラ Chitta Akhara
グルドワーラー・ダルシニ・デオリ Gurudwara Darshini Deori

トを整備、鉄道駅や郵便局、学校を建設した。アムリトサルをふくむパンジャーブ地方には、シク教徒のほかにヒンドゥー教徒とイスラム教徒が暮らしていたことから、1947年のイギリス撤退、印パ分離独立にあたって、インド側とパキスタン側に分離(パーティション)することになった。パーティション博物館は、当時のパンジャーブの分離をテーマとし、トランク、衣類、結婚式のサリー、宝石箱、ブリキ箱などが展示されている。インド側パンジャーブは、1966年の言語州再編によって、さらにパンジャーブ語母語地域のパンジャーブ州と、ヒンディー語母語地域のハリヤナ州にわかれた。

グルドワーラー・サントカサル・サーヒブ ★☆☆

Gurudwara Santokhsar Sahib Ⓗ ਗੁਰਦੁਆਰਾ ਸੰਤੋਖਸਰ ਸਾਹਿਬ／
ⓔ गुरुद्वारा संतोखसर साहिब ／ⓤ گوردوارہ سنتوکھسر صاحب

　黄金寺院の北側に広がる沐浴池をもつグルドワーラー・サントカサル・サーヒブ。ここはアムリトサルの建設をはじめた第4代グル・ラームダース(1534~81年)が最初に掘った池でで、1573年に開削され、第5代グル・アルジュン時代の1581年に完成した。伝説によると、第3代グルの意向でアムリトサルの造営をはじめた第4代グル・ラームダースは、まずサロワル(池)を掘る場所を探し、この池の発掘中に瞑想している聖者を見つけた。聖者は目を開いてグルに向かって「自分は長いあいだここで瞑想して、救いをもたらしてくれる人を待っていた」「私の名前はサントカだ」と名乗り、息をひきとったという。1881年、ラヴィ川の水をグルドワーラー・サントカサル・サーヒブまで運ぶ水路が完成した。

ターバンとひげ姿のたたずまい

イギリス時代の建物を利用したパーティション博物館

旧市街に残るグルドワーラー・サラガリ

街の中心部を走るヘリテイジ・ストリート

カトラ・ジャイマル・シン・マーケット ★☆☆

Katra Jaimal Singh Market / ⓟ ਕਟੜਾ ਜੈਮਲ ਸਿੰਘ ਮਾਰਕੀਟ

ⓗ कटरा जयमल सिंह मार्केट / ⓤ کٹرا جیمل سنگھ مارکیٹ

　アムリトサル旧市街でもっともにぎわうカトラ・ジャイマル・シン・マーケット。カトラとは商業地と住宅地が一帯となったエリアで、アムリトサルにはいくつもの特徴あるカトラが集まっていた（ジャッサ・シン・アルワリアなどの有力な指導者が、泥の外壁をもつ各カトラを整備した）。カトラ・ジャイマル・シン・マーケットでは、パシュミナ、サリー、シャツなどの衣料品をあつかう店が多くならぶ。

グルドワーラー・サラガリ ★☆☆

Gurdwara Saragarhi / ⓟ ਸਾਰਾਗੜ੍ਹੀ ਮੈਮੋਰੀਅਲ ਗੁਰਦੁਆਰਾ /

ⓗ गुरुद्वारा सारागढ़ी　ⓤ گورودوارا سارا گڑھی

　1897年、イギリス領インドに所属するシーク教徒連隊（36シーク隊）の兵士たちは、国境近くのサラガリ（現在のパキスタン北西辺境州）のロックハート砦を守るために派遣された。わずか21人で警備していたシーク教徒連隊（36シーク隊）のもとへ、1万人のアフガン人の攻撃をしかけ、絶体絶命のなか、シーク教徒連隊（36シーク隊）はシク教の伝統にのっとって降伏せず、500倍の数の相手と戦った。この死闘は6時間以上続き、死後、21人の兵士には勲章が送られ、シーク教徒連隊（36シーク隊）の勇姿は語り継がれることになった。この出来事を記念して建てられた3つのグルドワーラーのうちのひとつが、アムリトサルのグルドワーラー・サラガリで、1902年に完成した。

マハラジャ・ランジート・シング像 ★★☆

Statue of Maharaja Ranjit Singh / ⓟ ਮਹਾਰਾਜਾ ਰਣਜੀਤ ਸਿੰਘ ਦਾ ਬੁੱਤ

ⓗ महाराजा रणजीत सिंह स्टैचू　ⓤ مہاراجا رنجیت سنگھ کا مجسمہ

　ラホールとアムリトサルを中心にペシャワールからカシミールまでの広大な領土をつくったシク王国のマハラ

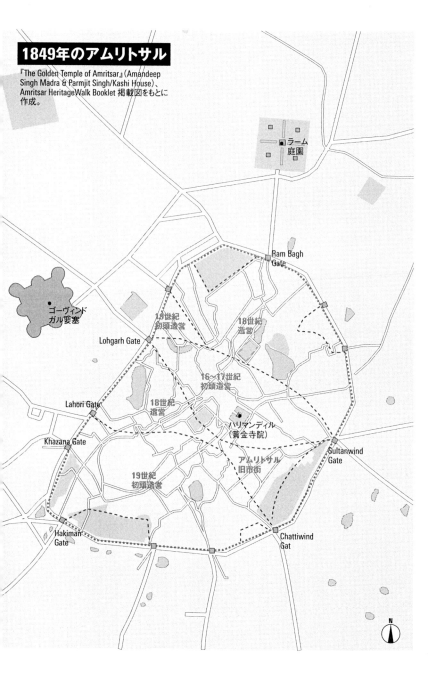

1849年のアムリトサル

『The Golden Temple of Amritsar』(Amandeep Singh Madra & Parmjit Singh/Kashi House)、Amritsar HeritageWalk Booklet 掲載図をもとに作成。

ラーム庭園

ゴーヴィンドガル要塞

Ram Bagh Gate

19世紀初頭造営

18世紀造営

Lohgarh Gate

16～17世紀初頭造営

18世紀造営

Lahori Gate

ハリマンディル
（黄金寺院）

Khazana Gate

アムリトサル旧市街

Sultanwind Gate

19世紀初頭造営

Hakiman Gate

Chattiwind Gat

N

ジャ・ランジート・シング像(1780～1839年)。「パンジャーブ
の獅子」と呼ばれたマハラジャ・ランジート・シングはア
ムリトサルの城壁を整備、夏の離宮ラームバーグ宮殿を
おき、商業の振興につとめるなど、アムリトサルはマハラ
ジャの40年の統治下で最高の繁栄を迎えていた。マハラ
ジャは幼児のときにかかった天然痘のために、あばた面、
片目であったが、美への欲求が強く、当時世界でもっとも
大きく、もっとも高価なダイヤであったコ・イ・ヌールを
身につけていた。また各地から優秀な職人を呼びよせ、ハ
リ・マンディルを黄金で彩るなど、現在のアムリトサルの
礎を築いたことでも知られる。マハラジャ・ランジート・
シングの騎乗姿のこの銅像は7層の基壇とともに2016年
に造営され、あたりはランジート・シング・チョウクと呼
ばれている。

ダラム・シング・マーケット ★☆☆
Dharam Singh Market／Ⓗ ਪਰਮ ਸਿੰਘ ਮਾਰਕੀਟ　Ⓔ धर्म सिंह मार्केट／
Ⓤ درم سنگھ مارکیٹ

　旧市街中心部、マハラジャ・ランジート・シング像のそ
ばに立つダラム・シング・マーケット。イギリス統治時代
に建てられた赤砂岩の重厚な建物で、前面には踊る人た
ちの彫像がおかれている。現在は各種店舗が入居する。

ヘリテイジ・ストリート ★☆☆
Heritage Street／Ⓗ ਵਿਰਾਸਤ ਗਲੀ　Ⓔ हेरिटेज स्ट्रीट　Ⓤ ہیریٹیج گلی

　マハラジャ・ランジート・シング像からジョリアーン・
ワーラー庭園へ続くヘリテイジ・ストリート。ムガル帝
国、シク王国、イギリス統治時代の豊富な遺産を残すアム
リトサル中心部を走り、石づくりのハーヴェリーが美し
いたたずまいを見せる(再開発された)。夜は美しくライト
アップされる。

キラ・アルワリア ★☆☆

Qila Ahlwalia／Ⓝ ਕਿਲਾ ਆਹਲੂਵਾਲੀਆ／Ⓔ किला अहलूवालिया

Ⓗ قلعہ اہلوالیہ

　キラとは「城」を意味し、18世紀のパンジャーブ地方に点在したいくつものミスル(シク教の軍団、小国家)のうち、アルワリア・ミスルの拠点がおかれていたキラ・アルワリア。アルワリアの指導者ジャッサ・シン・アルワリア(1718～83年)は、1761年にラホールを占領し、「シーク教徒の王(スルタン・ウル・クォーム)」という称号を得ていた(シク教徒をひきいて、アフガン族などの外敵を破り、アムリトサルの大部分を支配していた)。この建物は、1900年、マルワーリー商人のものとなり、現在では美しい石細工や装飾のほどこされた門、螺旋階段などが見られる。

ミスルとアムリトサル

　シク教徒の勢力は、初代グル・ナナク(1469～1538年)から第10代グル・ゴーヴィンド(1666～1708年)にいたるグル時代、たびたびムガル帝国から弾圧を受けたため、教団は武装化を進め、第10代グル・ゴーヴィンドは次のグルを人間ではなく、聖典『グル・グラント・サーヒブ』を任命した。武装化したシク教徒の軍隊は、12の在郷軍にわかれ、大きなものは1～2万人の騎馬兵をもち、小さなものは数百人規模で、やがてパンジャーブ各地にミスル(小国家)が割拠する状態になっていた。当初、各ミスルは正月の元旦と秋のディワリの年2度、聖地アムリトサルに集まり、ここで今後の計画が立てられ、おのおのに役割があたえられた(すべてのものに発言権があったという)。このミスルのうち、ジャッサ・シン・アルワリア(1718～83年)のアルワリア・ミスルをはじめとするいくつかが有力で、スカチャキア・ミスルからランジート・シング(1780～1839年)が出て、やがて各ミスルをまとめあげてシク王国を樹立した。

シク教徒の商人、誠実だとして信頼される

ジョリアーン・ワーラー庭園に残る銃弾跡

カラフルなターバンを巻いた人たちが往来する

ジャレビワーラー・チョウク ★☆☆

Jalebiwala Chowk／Ⓐ ਜਲੇਬੀ ਵਾਲਾ ਚੌਕ／Ⓗ जलेबीवाला चौक
／Ⓤ جلیبی والا چوک

　アムリトサル旧市街の商業区にあり、甘いお菓子の
ジャレビ店などが軒をつらねるジャレビワーラー・チョ
ウク(1956年以来のジャレビを売る店があるチョウク)。1919年、ア
ムリトサルのヒンドゥー教徒とイスラム教徒がともに
ラーマの生誕祭を祝って歓声をあげるなど、アムリトサ
ルの人が集まる場でもあった(この集会を受けて、ジョリアーン・
ワーラー庭園で多くの人が虐殺されるアムリトサル事件が起こった)。黄
金寺院にも近い。

アムリトサルのパンジャーブ料理

　インド北西部からパキスタンにかけて食べられ、イン
ドを代表する料理として知られるパンジャーブ料理。豊
かな穀倉地帯で育まれた小麦、野菜や肉などの豊富な食
材を香辛料で味つけする。無発酵のまま鉄板で焼いた
チャパティ、この地方で親しまれているクルチャはじめ、
ローティーと総称されるさまざまなパンが食べられてい
る。ヨーグルトとスパイスをあわせたタンドリーチキン、
ジャガイモやえんどう豆のスナック、甘いお菓子のジャ
レビーなどもアムリトサルの街角で見られる。

サンガワーラー・アカラ ★☆☆

Sangawala Akhara／Ⓐ ਸੰਗਾਵਾਲਾ ਅਖਾੜਾ／Ⓗ सांगावाला अखाड़ा
／Ⓤ سنگاوالا اکھاڑا

　黄金寺院の目の前に立つサンガワーラー・アカラ。ア
カラとはグルドワーラーと異なる宗教施設(アーシュラム)で、
礼拝、教育、無料の食事や宿泊を提供した。ジャッサ・シ
ン・アルワリア(1718〜83年)の統治する1771年に設立され、
もともとは創設者の名前からニルバン・アカラと呼ばれ

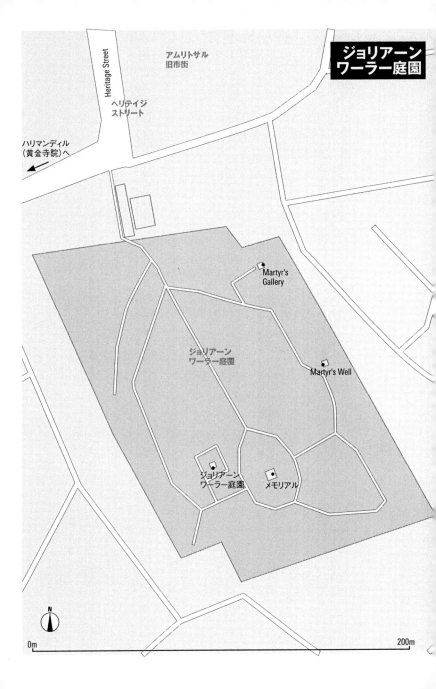

ジョリアーン
ワーラー庭園

Heritage Street
ヘリテイジ
ストリート

アムリトサル
旧市街

ハリマンディル
(黄金寺院)へ

Martyr's
Gallery

ジョリアーン
ワーラー庭園

Martyr's Well

ジョリアーン
ワーラー庭園

メモリアル

N

0m   200m

ていた。瞑想や祈りを行なう人たちの姿が見られる。ウダシン・アーシュラム・アクラム・サンガルワーラーともいう。

ジョリアーン・ワーラー庭園 ★★☆
Jalianwala Bagh ⓗ ਜਲ੍ਹਿਆਂ ਵਾਲਾ ਬਾਗ਼ ／ⓔ जल्लिवाला बाग ／
ⓤ جليانوالا باغ

　　1919年4月13日、無防備の市民が虐殺されたアムリトサル事件の舞台となったジョリアーン・ワーラー庭園。この庭園はパンディット・ジャッラーという人物が庭園をつくらせ、そこからジャッラーの公園という名前で呼ばれていた。20世紀初頭、地面がでこぼこした空き地になっていて、周囲には家が立てられ、この空き地は集会に使われるようになっていた。当時、イギリス植民地時代のインドでは、反イギリスの気運がもりあがっていたが、イギリスは反英運動をとりしまるローラット法を制定した。こうしたなか、祭りバイサーキーの日に黄金寺院にほど近いジョリアーン・ワーラー庭園に集まったアムリトサル市民に対して、イギリス人ダイヤーの指揮する軍が「集会に参加している市民」として無差別に発砲した。集まった2万人の市民のうち、1500人以上の死傷者を出すことになり、逃げるために飛び込んだ泉からも100人以上の遺体がひきあげられた。この事件を受けて、インド独立運動はさらなる盛りあがりを見せ、ガンジー、ネルーらにひきいられ、1947年、インドはイギリスからの独立を達成することになった。近代インドで起こった悲劇の事件を風化させないようにするため、1951年に現在のかたちに整備さ

★★★
アムリトサル旧市街 *Old Amritsar*
★★☆
ジョリアーン・ワーラー庭園 *Jalianwala Bagh*
★☆☆
ヘリテイジ・ストリート *Heritage Street*

れ、永遠の炎をイメージした「殉教者記念碑」が立つほか、壁の一部には銃弾の跡、人びとが逃げ込んだ井戸も残っている。

アムリトサルとアムリトサル事件

イギリスの植民地支配に対する抗議の声があがるなか、1919年3月、イギリスは令状なしの逮捕、正規の裁判なしの禁錮を可能にするローラット法を制定した。アムリトサルでは、ラーマ生誕日の4月3日11時半ごろに人びとはホール市場に集まりはじめ、ヒンドゥー教徒はイスラム教の帽子をかぶり、イスラム教徒はサフラン色のティカを第三の目につけて祭りに参加し、「ヒンドゥー、ムスリム団結万歳」とホール門からジャレビワーラー・チョウクに向かって祭りを祝っていた。反イギリスの気運もあって一部のインド人が暴徒化すると、イギリスの警官隊が発砲してインド人が負傷し、今度は銀行でイギリス人がインド人に殺害された（またイギリス人女性シェールウッドがクラウリング・ストリートで暴行を受けた）。こうした事件を受けて、イギリス陸軍の各隊がアムリトサルに集結し、そのなかにはダイヤー指揮官のジャランダル隊もいた。4月11日、アムリトサルに戒厳令がしかれて緊張感が高まるなか、4月13日はシク教徒にとって大切なバイサーキーの日（新年の祭り、収穫祭）を迎えた（1699年のバイサーキーで、第10代グル・ゴーヴィンド・シングは、カールサーを創設した）。この日は黄金寺院に礼拝に行った人たちが、近くのジョリアーン・ワーラー庭園に集まり、それを受けてイギリス人ダイヤーの指揮する軍が出動、無防備の市民が虐殺されることになった。

Northern Old Amritsar
旧市街北部城市案内

「王冠の宝石」とたたえられたアムリトサル
ムガル、シク王国以来の古い街並みとともに
グルゆかりの場所も残る

チッタ・アカラ ★☆☆
Chitta Akhara／Ⓗ ਚਿੱਟਾ ਅਖਾੜਾ　Ⓣ चिट्टा अखाड़ा　Ⓤ چٹا اکھاڑا

　黄金寺院の背後に残るチッタ・アカラ。グルドワーラー
と異なる宗教施設(アーシュラム)のチッタ・アカラは1781
年に設立され、礼拝、教育の場としての社会的機能を果た
してきた。建物にほどこされた精緻な彫刻、装飾窓、絵画
などが見られる。このアカラの創設者マハント・ガンガ・
ラームにちなんで、ガンガ・ラーム・アカラともいう。

グルドワーラー・ダルシニ・デオリ ★☆☆
Gurudwara Darshini Deori　Ⓗ ਗੁਰਦੁਆਰਾ ਦਰਸ਼ਨੀ ਡਿਓੜੀ／
Ⓣ गुरुद्वारा दर्शनी देवरी／Ⓤ گورودوارا درشنی ڈیوڑی

　第5代グル・アルジュン(1563～1606年)と第6代グル・ハル
ゴーヴィンド(1595～1644年)がハリ・マンディル(黄金寺院)を
眺めた場所に立つダルシニ・デオリ。当時はまわりに建物
がなかったので、ここからその姿を見ることができたと
いう。現在は路地の一角にあり、美しい装飾、金色の屋根
のグルドワーラー (シク教寺院) となっている。

ババ・ボハール ★☆☆
Baba Bohar　Ⓗ ਬਾਬਾ ਬੋਹੜ　Ⓣ बाबा बोहर　Ⓤ بابا بوہڑ

　バザールが走る旧市街の一角に立つババ・ボハール。ボ

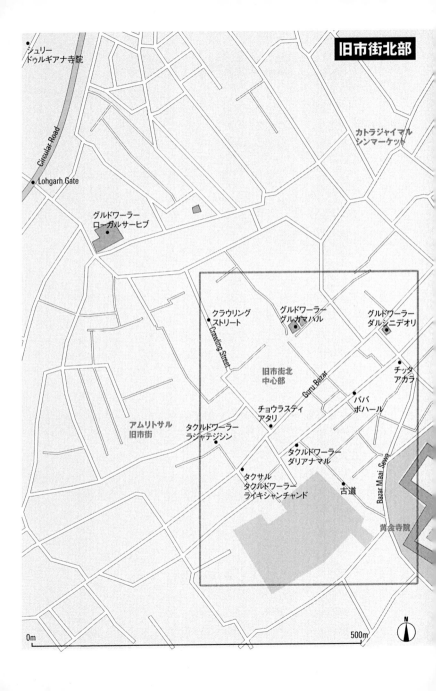

旧市街北部

シュリー
ドゥルギアナ寺院

Circular Road

Lohgarh Gate

グルドワーラー
ローガルサーヒブ

カトラジャイマル
シンマーケット

クラウリング
ストリート

Crawling Street

グルドワーラー
グルカマハル

グルドワーラー
ダルシニデオリ

旧市街北
中心部

Guru Bazar

チッタ
アカラ

アムリトサル
旧市街

チョウラスティ
アタリ

ババ
ボハール

タクルドワーラー
ラジャテジシン

タクルドワーラー
ダリアナマル

Bazar Maai Sewa

タクサル
タクルドワーラー
ライキシャンチャンド

古道

黄金寺院

0m   500m

N

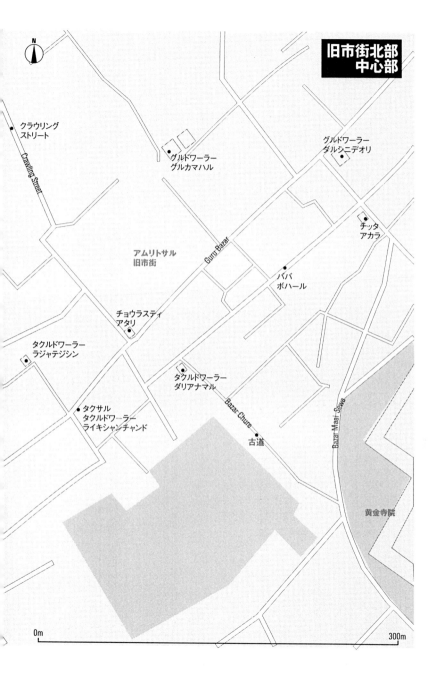

N

クラウリング
ストリート

Crawling Street

グルドワーラー
グルカマハル

グルドワーラー
ダルシニデオリ

Guru Bazar

チッタ
アカラ

アムリトサル
旧市街

ババ
ボハール

チョウラスティ
アタリ

タクルドワーラー
ラジャテジシン

タクルドワーラー
ダリアナマル

Bazar Chure

タクサル
タクルドワーラー
ライキシャンチャンド

古道

Bazar Maai-Sawa

黄金寺院

0m   300m

ハールとはガジュマルの木のことで、何世紀にも渡って枝を伸ばした姿でたたずんでいる。太陽の強い陽射しや雨から人を守るガジュマルのもとでインド人聖者は瞑想し、この樹木への信仰は古代信仰とも関係があるとされる。樹皮は紙代わりに、空中の根はロープに、樹液は接着剤に、根は薬に、小枝は歯ブラシに使われてきた。

タクルドワーラー・ダリアナ・マル ★☆☆

Thakurdwara Dariana Mal /Ⓗ ਠਾਕੁਰਦੁਆਰਾ ਡੇਰਿਆਨਾ ਮਾਲ
Ⓔ ठाकुरद्वारा दरियाना मल /Ⓤ ٹھاکرادوارا دریانہ مال

タクルドワーラー・ダリアナ・マルは、アムリトサルの旧市街で見られた典型的な邸宅。マハラジャ・ランジート・シングの宮廷に仕えた富裕者によって、1876年に建てられた。窓枠や壁面にほどこされた彫刻は精緻で美しい。クリシュナとラーダーに捧げられ、フレスコ画はラーマをはじめとするヒンドゥー神話が描かれている。

チョウラスティ・アタリ ★☆☆

Chaurasti Attari／⒜ ਚੌਰਸਤੀ ਅਟਾਰੀ／ⓔ चौरासदी अटारी

⒰ چوراستی اٹاری

第6代グル・ハルゴーヴィンド(1595～1644年)ゆかりの場所に立つチョウラスティ・アタリ。1614年、グワリオールより戻ったグルはあたり一帯を4つの路地、32の店からなる複合施設チョウラスティ・アタリとして整備した(チョウラスティ・アタリとは「十字路のテラス」を意味する)。この地に職人や商人を招き、また近くにグルの住居があったこともあり、グル・ハルゴーヴィンド(1595～1644年)はこのあたりでしばしば信者と会話を交わしたと伝えられる。グル・バザールの端に位置する。

タクサル ★☆☆

Taksal ⒜ ਟਕਸਾਲ／ⓔ टकसाल／⒰ ٹکسال

シク王国(18～19世紀)の造幣局がおかれていたタクサル。アムリトサルで最初の造幣所で、当時のパンジャーブで流通したコインが鋳造され、とくに1803年にマハラジャ・ランジート・シングが女王モランのために発行したモランシャーヒー・コインが名高い(「孔雀のコイン」と呼ばれたこのコインには孔雀の羽根が埋め込まれていた)。実際、モランは踊り子であったことから、司祭からはよく思われず、コインの製造を中止するように免じられたという。

タクルドワーラー・ライ・キシャンチャンド ★☆☆

Thakurdwara Rai Kishanchand ⒜ ਠਾਕੁਰਦਵਾਰਾ ਰਾਏ ਕਿਸ਼ਨਚੰਦ
ⓔ ठाकुरद्वारा राय किशनचंद ⒰ ٹھاکردوارا رائے کشن چند

1868年創建で、シャニ・マンディルの名前でも知られるタクルドワーラー・ライ・キシャンチャンド。セトライ・キシャンチャンド・サプラの妻によって建てられた。入口の扉には、ハヌマンとガルーダの像が立ち、精緻な彫刻が見られる。

シク教徒は髪を切らず、ひげをそらない

シク王国時代以来のアムリトサル旧市街の路地

巡礼に訪れる人は1日中絶えることがない

人、人、人、アムリトサルはパンジャーブ州最大の街でもある

タクルドワーラー・ラジャ・テジ・シン ★☆☆

Thakurdwara Raja Tej Singh Ⓗ ਠਾਕੁਰਦੁਆਰਾ ਰਾਜਾ ਤੇਜ ਸਿੰਘ

Ⓔ ठाकुरद्वारा राजा तेज सिंह Ⓤ ٹھاکر دوارہ راجہ تیج سنگھ

　カトラ・ジャマダルに残るレンガ製の建物タクルド
ワーラー・ラジャ・テジ・シン。1851年にラジャ・テジ・シ
ンによって建てられた。

グルドワーラー・グル・カ・マハル ★★☆

Gurudwara Guru Ka Mahal Ⓗ ਗੁਰਦੁਆਰਾ ਗੁਰੂ ਕਾ ਮਹਲ／

Ⓔ गुरद्वारा गुरू का महल ／Ⓤ گردوارہ گرو کا محل

　街が完成する以前の1573年に第4代グ・ラームダー
スによって建てられたグルドワーラー・グル・カ・マハル
は、アムリトサルでもっとも古い建物にあげられる。当
初、泥の簡素な建物だったが、第5代グル・アルジュン、第
6代グル・ハルゴーヴィンドもここに暮らし、拡張されて
いった。グルが暮らしたことから、1577〜1634年まで街
(ラームダースプル)の中心とも言える場所だった。第9代グ
ル・テグ・バハドゥール(1621〜75年)の生地でもある。

クラウリング・ストリート ★☆☆

Crawling Street／Ⓗ ਕ੍ਰਾਲਿੰਗ ਗਲੀ Ⓔ रेंगती हुई सड़क／Ⓤ رینگتی ہوئی سڑک

　1919年4月13日、ジョリアーン・ワーラー庭園で、無防
備の市民1500人以上の死傷者を出したアムリトサル事
件。その数日前、イギリス人宣教師女性シェールウッド
が暴徒化したインド人によって襲われたのがクラウリ
ング・ストリート(アムリトサル事件はそれらの報復として行なわれ
た)。4月19日には女性シェールウッドの襲われたこの通
りでは、手と膝を地面につけて通らなくてはならない通
達がされ、命令に従わないインド人には銃の台尻を使っ
て強制させたり、鞭打ちしたりした。こうしたところから
クラウリング・ストリート(這って進まなければならない通り)と
いう名前がつけられた。

グルドワーラー・ローガル・サーヒブ ★☆☆

Gurudwara Lohgarh Sahib／Ⓗ ਗੁਰਦੁਆਰਾ ਲੋਹਗੜ ਸਾਹਿਬ／
Ⓣ गुरुद्वारा लोहगढ साहिब　Ⓤ گوردوارا لوہ گڑھ صاحب

　ゴーヴィンド・ガル要塞に続くローガル門近くに立つグルドワーラー・ローガル・サーヒブ。西側から攻撃を受けるという街の防御上の観点から、1610年、第6代グル・ハルゴーヴィンド(1595〜1644年)が建てたローガル(鋼鉄の城)をはじまりとする。この砦は厚い土壁におおわれ、監視塔の役割を果たしていた。1634年のシクとムガル軍の戦いでムガル軍の攻撃を受けた。

古道 ★☆☆

Ancient Passage／Ⓗ ਪੁਰਾਣੀ ਬੀਹੜ／Ⓣ पुरानी गली　Ⓤ پرانی گلی

　シク王国以前からのアムリトサル旧市街の面影を今に伝える古道(チュリ・バザール)。ちょうど黄金寺院の裏手にあり、モッハラやカトラと呼ばれる住宅群のなかに位置する。

弾圧された歴史

　第3代アクバル帝以後のムガル帝国時代、シク教は異端とされ、度々弾圧を受けることになった。第5代グル・アルジュンはジャハンギール帝によってラホールで、第9代グル・テーグ・バハードゥルもアウラングゼーブ帝によってデリーで拷問死したことなどから、シク教徒は武装化するようになった。またこのような事情から、1857年、ムガル皇帝がかつぎ出されたインド大反乱では、シク教徒は反乱軍ではなくイギリス側に味方している。

現在の街の礎を築いたマハラジャ・ランジート・シングの像

旧市街南部城市案内

旧市街南部には重要なグルドワーラーが位置する
聖典を完成させたグル・アルジュンが
黄金寺院へ運んだ道のりもあった

グルドワーラー・シャヒド・ガンジ・サーヒブ ★☆☆

Gurdwara Shaheed Ganj Sahib Ⓗ ਗੁਰਦੁਆਰਾ ਸ਼ਹੀਦ ਗੰਜ ਸਾਹਿਬ
Ⓣ गुरुद्वारा शाहीद गंज साहिब ／Ⓤ گُرُدوارہ شاہید گنج صاحب

　アムリトサル旧市街のチャティウィンド門近くに残る
グルドワーラー・シャヒド・ガンジ・サーヒブ。1757年に
アフガン軍に占拠され、ハリ・マンディルは破壊、タンク
は人の死骸で埋めつくされた。それを聞いたババ・ディー
プ・シンは、軍をひきいて敵を倒し、負傷しながらもハリ・
マンディルへたどり着いた。ババ・ディープ・シンは死ん
だが、この地で火葬され、やがてグルドワーラー（シク寺院）
が建てられた。

グルドワーラー・ビベクサル・サーヒブ ★☆☆

Gurdwara Bibeksar Sahib／Ⓗ ਗੁਰਦੁਆਰਾ ਬਿਬੇਕਸਰ ਸਾਹਿਬ／
Ⓣ गुरुद्वारा बिबेकसर साहिब　Ⓤ گُرُدوارہ بِبیکسر صاحب

　第6代グル・ハルゴーヴィンド（1595〜1644年）に捧げられ
たグルドワーラー・ビベクサル・サーヒブ。第6代グル・ハ
ルゴーヴィンドは、父親の殉教後、シクの常備軍を創設
し、「ミリ（世俗的な力）」と「ピリ（精神的な力）」という2本の剣
をたずさえていた。ビベクとはこのグルの知恵のことで、
グル・ハルゴーヴィンドが掘った池で沐浴するとその恩
恵が受けられるという。現在のグルドワーラーは1628年

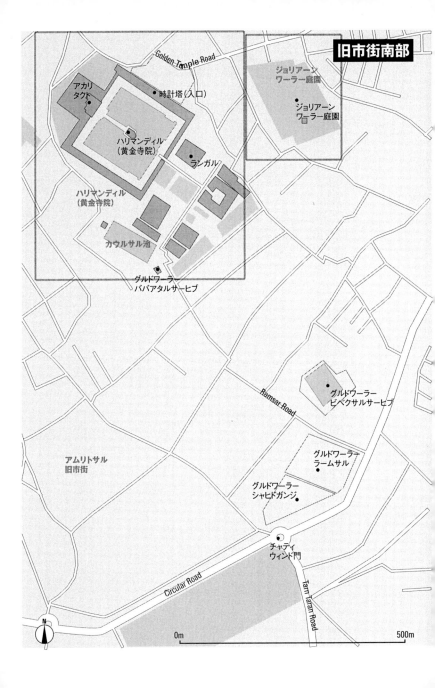

旧市街南部

Golden Temple Road

ジョリアーン
ワーラー庭園

ジョリアーン
ワーラー庭園

アカリ
タクト

時計塔（入口）

ハリマンディル
（黄金寺院）

ランガル

ハリマンディル
（黄金寺院）

カウルサル池

グルドワーラー
ババアタルサーヒブ

Ramsar Road

グルドワーラー
ビベクサルサーヒブ

アムリトサル
旧市街

グルドワーラー
ラームサル

グルドワーラー
シャヒドガンジ

チャティ
ウィンド門

Circular Road

Tarn Taran Road

N

0m   500m

に建てられ、その後、改築されたもの。

グルドワーラー・ラームサル ★★☆
Gurdwara Ramsar／⑰ ਗੁਰਦੁਆਰਾ ਸ੍ਰੀ ਰਾਮਸਰ ਸਾਹਿਬ
ⓣ गुरुद्वारा रामसर साहिब　⑨ گوردوارہ رامسر صاحب

　　ハリ・マンディル(黄金寺院)より少し離れた静かなこの
地に、第5代グル・アルジュン(1563〜1606年)はしばしば訪
れて瞑想したり、ハリ・マンディルの建設(1589年)を指示
したり、考えごとをしていた。そして、1600年から最初の
4人の賛美歌の収集や「平和の詩篇」の編纂がこの地では
じまり、1604年にシク教の聖典『グル・グラント・サーヒ
ブ』が完成した(1602年に小さな池を掘って、父グル・ラームダースの
名前からラムサールと名づけた)。その後、グル・アルジュンはこ
の聖典の原本を頭に載せ、ハリ・マンディルまで運んで、
納本した。この道はグル・グラント・サーヒブ・マルグと呼
ばれるようになり、今でもここから黄金寺院まで裸足で
歩くシク教徒の姿が見られる。グルドワーラー・ラームサ
ルの建物は、グル・アルジュンの生きた時代から250年後
の1855年に建てられた。

★★★
黄金寺院 (ハリ・マンディル) *Golden Temple (Hari Mandir)*
アカリ・タクト *Akal Takht*
ランガル *Guru Ka Langar*
アムリトサル旧市街 *Old Amritsar*
★★☆
グルドワーラー・ラームサル *Gurdwara Ramsar*
時計塔 *Clock Tower*
グルドワーラー・ババ・アタル・サーヒブ *Gurdwara Baba Atal Sahib*
ジョリアーン・ワーラー庭園 *Jalianwala Bagh*
★☆☆
グルドワーラー・シャヒド・ガンジ・サーヒブ *Gurdwara Shaheed Ganj Sahib*
グルドワーラー・ビベクサル・サーヒブ *Gurdwara Bibeksar Sahib*
カウルサル池 *Kaulsar Sarovar*

旧市街東部城市案内

アムリトサル北門から黄金寺院へ
伸びるホール・バザール
ここにはふたつの重要なモスクが位置する

ホール・バザール ★☆☆

Hall Bazar　Ⓐ ਹਾਲ ਬਜ਼ਾਰ／Ⓔ हॉल बाजार／Ⓤ بازار ہال

　アムリトサル北門から市街中心部に向かって走るホール・バザール。アムリトサルの由緒正しいバザールで、日用品、手工芸などをあつかう店がならぶ(旧市街と新市街を結ぶ)。またこのバザールにはこの街を代表するふたつのモスクが位置する。

マスジッド・ジャン・ムハンマド ★☆☆

Masjid Jan Mohammad　Ⓐ ਮਸਜਿਦ ਜਾਨ ਮੁਹੰਮਦ／
Ⓔ मस्जिद जान मुहम्मद　Ⓤ مسجد جان محمد

　1869年、ミャーン・ジャン・ムハンマドによって建てられたマスジッド・ジャン・ムハンマド。ミャーン・ジャン・ムハンマドはカシミールからの移民で、羊毛商人として財をなし、このモスクを設立した(1820年代、カシミール産ショール、チベット産パシュミナの需要が高まり、カシミールから多くの移民がアムリトサルを訪れた)。白のドームが横に3つつらなり、白色の壁面にイスラム教を象徴する緑色のデザインをもつ。

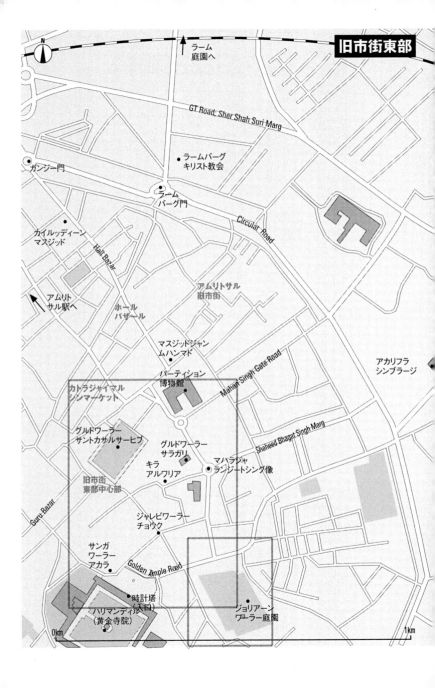

N

ラーム庭園へ

GT Road; Sher Shah Suri Marg

ラームバーグ
キリスト教会

ガンジー門

ラーム
バーグ門

Circular Road

カイルッディーン
マスジッド

Hall Bazar

アムリト
サル駅へ

ホール
バザール

アムリトサル
旧市街

マスジッドジャンム
ハンマド

パーティション
博物館

アカリフラ
シンブラージ

Mahan Singh Gate Road

カトラジャイマル
シンマーケット

グルドワーラー
サントカサルサーヒブ

グルドワーラー
サラガリ

Shaheed Bhagat Singh Marg

キラ
アルワリア

マハラジャ
ランジートシング像

旧市街
東部中心部

Guru Bazar

ジャレビワーラー
チョウク

サンガ
ワーラー
アカラ

Golden Temple Road

時計塔
(入口)

ハリマンディル
(黄金寺院)

ジョリアーン
ワーラー庭園

0km

1km

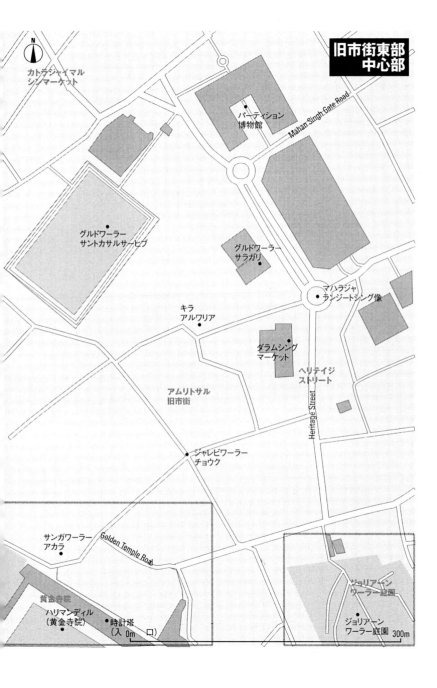

N

カトラジャイマル
シンマーケット

パーティション
博物館

Mahan Singh Gate Road

グルドワーラー
サントカサルサーヒブ

グルドワーラー
サラガリ

マハラジャ
ランジートシング像

キラ
アルワリア

ダラムシング
マーケット

ヘリテイジ
ストリート

アムリトサル
旧市街

Heritage Street

ジャレビワーラー
チョウク

サンガワーラー
アカラ

Golden Temple Road

ジョリアーン
ワーラー庭園

黄金寺院
ハリマンディル
(黄金寺院)

時計塔
(入 0m 口)

ジョリアーン
ワーラー庭園

300m

カイルッディーン・マスジッド ★☆☆

Khairuddin Masjid ⒩ਮਸਜਿਦ ਖੈਰੁਦੀਨ ⒠खैरुदिन मस्जिद

⒰ خیرالدین مسجد

　ホール・バザールに立つこの街でもっとも大きなモスクのカイルッディーン・マスジッド。モスク名は1874年、シェイク・カイルッディーンによって建てられたことに由来する。広い中庭があり、ここでイスラム教徒が集団礼拝を行なう。1947年の印パ分離独立で、アムリトサルのイスラム教徒の多くはパキスタン側に移住したが、現在も街の各所にはイスラム聖者廟が残っている。

ラームバーグ門 ★☆☆

Ram Bagh Gate ⒩ਰਾਮ ਬਾਗ ਫਾਟਕ／⒠राम बाग गेट　⒰ رام باغ گیٹ

　1820年、マハラジャ・ランジート・シングはアムリトサルをとり囲む城壁を造営し、12の門が配されていた。この城壁跡は豆のような楕円形型街区として現在も見られ

るが、城壁そのものはイギリス統治時代に撤去された。このラームバーグ門だけが唯一残っていたが、その後、当時の城門の再整備も進められた（シク王国の首都ラホールに向かう西側のラホール門が正門だった）。ラームバーグ門の外側にランジート・シングの築いた夏の離宮ラームバーグ宮殿が位置する。

ラームバーグ・キリスト教会 ★☆☆

Christ Church Cathedral Ⓗ गिरजाघर／Ⓔ क्राइस्ट चर्च कैथेड्रल
Ⓤ رامبرگ كيتهيدرل

　石づくりの建物で、上部に十字架を載せるアムリトサルのキリスト教会。アムリトサルは1849年から印パ分離独立までイギリスの統治下に入り、この建物はイギリス統治時代からのもの。ラームバーグ門の近くに立つ（ラームバーグに続く街道上にあり、イギリス統治下、ラームバーグはカンパニーバーグと改名された）。

アカリ・フラ・シン・ブラージ ★☆☆

Akali Phoola Singh Burjh Ⓗ अकाली झुला सिंघ बुरज
Ⓔ अकाली फूला सिंह बुर्ज／Ⓤ اكالي فولا سنگهـ برج

　アムリトサル旧市街東門外側に立つ6階建ての塔アカリ・フラ・シン・ブラージ。シク王国の勇猛な戦士として知られたアカリ・フラ・シンゆかりのこの塔は、20世紀初頭に建てられた。周囲から見えるアムリトサルでも高い建物で、グルドワーラーが隣接する。

旧市街北西城市案内

第10代グル・ゴーヴィンド・シングの名前がつけられた
ゴーヴィンド・ガル要塞
シク王国から現代インドにいたるまでの軍事要塞

ゴーヴィンド・ガル要塞 ★★☆

Govind Garh Fort Ⓗ ਗੁਰੂ ਗੋਬਿੰਦ ਗੜ੍ਹ ਕਿਲ੍ਹਾ Ⓔ गोबिंदगढ़ किला
Ⓤ قلعہ گوبند گڑھ

　アムリトサル西方にそびえるパンジャーブ屈指のゴー
ヴィンド・ガル要塞。ラホールとデリーを結ぶ街道上にあ
り、豆型状のアムリトサル旧市街は北西方面からの攻撃
にもろく、それをおぎなうために造営された。1760年代、
ミスル(シク教徒の軍団)のひとつジャール・シン・バンギが
泥の要塞をここに建設し、当初、バンギアン・ダ・キラと呼
ばれていた。その後、シク王国マハラジャ・ランジート・シ
ング(1780〜1839年)時代の1805〜09年に外務大臣であった
ファキール・アジズッディンによって現在の姿になった
(アムリトサルの街と財宝を守るために必要という、ジャスワント・ラオ・
ホールカルの助言があった)。1849年の第2次シク戦争後、イギ
リス軍に占領され、その軍事拠点となり、1947年の印パ
分離独立後はインド軍がゴーヴィンド・ガル要塞に駐屯
した。このように、シク王国、イギリス、インド軍と300年
以上に渡ってアムリトサルの防衛拠点となってきた。城
壁をめぐらし、重厚なナルワ門からなかに入ると、かつて
1万2000人の軍隊が駐屯し、穀物や食料がそなえられた
城壁都市という風貌がうかがえる。マハラジャ・ランジー
ト・シングを描く劇『シャーレ・パンジャーブ』が演じら

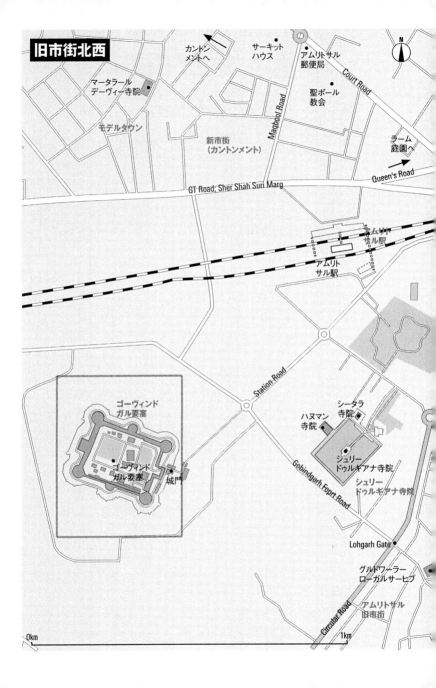

旧市街北西

カントン
メントへ

サーキット
ハウス

アムリトサル
郵便局

Court Road

マータラール
デーヴィー寺院

聖ポール
教会

モデルタウン

新市街
（カントンメント）

ラーム
庭園へ

Maqbool Road

Queen's Road

GT Road; Sher Shah Suri Marg

アムリト
サル駅

アムリト
サル駅

Station Road

ゴーヴィンド
ガル要塞

シータラ
寺院

ハヌマン
寺院

ゴーヴィンド
ガル要塞

城門

シュリー
ドゥルギアナ寺院

Gobindgarh Foprt Road

シュリー
ドゥルギアナ寺院

Lohgarh Gate

グルドワーラー
ローガルサーヒブ

Circular Road

アムリトサル
旧市街

0km

1km

N

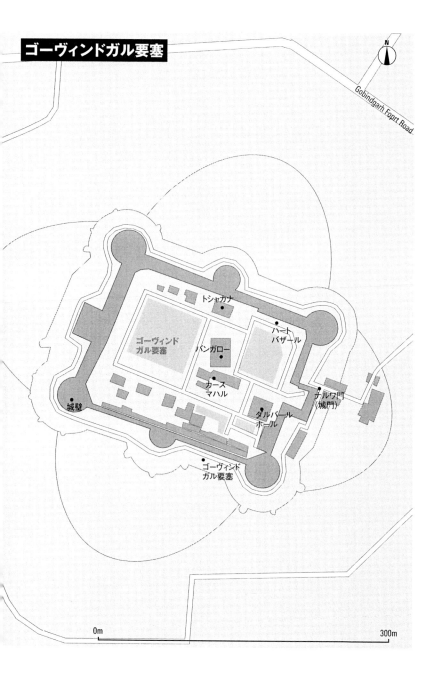

ゴーヴィンドガル要塞

N

Gobindgarh Foprt Road

トシャカナ

ゴーヴィンド
ガル要塞

バンガロー

ハート
バザール

カース
マハル

ナルワ門
(城門)

城壁

ダルバール
ホール

ゴーヴィンド
ガル要塞

0m   300m

れているほか、シク教徒が身につけるターバン、大砲や軍服、絵画などが展示されている。

城門と城壁 ★☆☆
The Gates ／⑰ ढाटक ／⑱ दरवाज़ा ／⑲ دروازہ

二重の城壁構造をもち、その外側に深さ6mの濠をめぐらせたゴーヴィンド・ガル要塞。入口のナルワ門はとくに軍事防御上の工夫がされていて、鉄壁の防御体制がとられている。横矩形の辺部分の外側に半円形が飛び出すプランをもつ。このゴーヴィンド・ガル要塞の設計には、マハラジャ・ランジート・シング(1780～1839年)が招いたイタリアやナポレオンに仕えたフランス将校の技術が生かされている。

バンガロー ★☆☆
Bungalow (Coial) ／⑰ घंगालू ／⑱ बंगला ／⑲ بنگلہ

ゴーヴィンド・ガル要塞の中心に立つバンガロー。この建物はシク王国時代の円形の台座と、その後のイギリス

سردار رنجیت سنکه لاہوروالہ

マハラジャ・ランジート・シングは広大なシク王国を築いた

統治時代のバンガローからなる。バンガローは周囲にベランダをめぐらせる植民地官舎として建てられていった（イギリス統治の中心地だったベンガル式を意味する）。

トシャカナ ★☆☆
Toshakhana Ⓟ ੩ਸ਼ਾਧਾਨਾ ／Ⓗ तोषखाना ／Ⓤ توش خانہ

　トシャカナはシク王国の宝物庫だったところで、世界でもっとも有名なダイヤモンドのコ・イ・ヌールが安置されていた。コ・イ・ヌールはインド原産で、数々の権力者が求め、シク王国時代はマハラジャ・ランジート・シング（1780〜1839年）のものだった（その後、イギリスの手にわたり、現在はイギリス女王の王冠につけられている）。またトシャカナには、シク王国の造幣局がおかれていた。

カース・マハル ★☆☆
Khas Mahal Ⓟ ਖ਼ਾਸ ਮਹਿਲ ／Ⓗ खास महल ／Ⓤ خاص محل

　バンガローの南に立つカース・マハル。カースは「貴賓」を、マハルは「宮殿」を意味する。シク王国時代とイギリス統治時代の双方の様式が残り、「コーヒーハウス」とも呼ばれていた。

ダルバール・ホール ★☆☆
Darbar Hall ／Ⓟ ਦਰਬਾਰ ਹਾਲ ／Ⓗ दरबार हॉल ／Ⓤ دربار ہال

　イギリスがシク戦争に勝利したあとの1850年に建てられたダルバール・ホール。軍事病院として使われていた建物で、1947年以降はインド軍のための食堂があった。

ハート・バザール ★☆☆
Haat Bazar Ⓟ ਹਾਟ ਬਾਜ਼ਾਰ ／Ⓗ हाट बजार ／Ⓤ ہاٹ بازار

　ゴーヴィンド・ガル要塞内部に整備されたハート・バザール。パンジャーブ地方の刺繍、衣料品、宝石などがならぶ。

シュリー・ドゥルギアナ寺院 ★★☆

Shri Durgiana Tirth Ⓐ ਸ਼੍ਰੀ ਦੁਰਗਿਆਨਾ ਤੀਰਥ／ⓔ श्री दुर्गियाना मंदिर
Ⓤ درگیانا مندر

アムリトサルは1577年にシク教徒の街として開かれ
たが、ここは『ラーマーヤナ』を記したヴァールミーキ
ゆかりの地でもあり、ラーマとシーターの双子ラヴァと
クシャはアムリトサル近郊で生まれ育ったため、ヒン
ドゥー教徒にとっても重要視されている。シュリー・ドゥ
ルギアナ寺院は、ローガル門そばに立ち、1924年に黄金寺
院を模して改建された(もとの寺院は16世紀に建てられたが、BHU
を設立したパンディット・マダン・モハン・マルヴィヤによって再建され
た)。ドゥルギアナ寺院という名称は、第10代グル・ゴー
ヴィンドシングも信仰したドゥルガー女神(シータラ・マタ女
神)に由来する。ラクシュミー・ナラヤン神、ラーマ神、シー
ター神、ハヌマン神、シヴァ神などがまつられた寺院複合
体で、ラクシュミー・ナラヤン寺院を中心とする。ラヴィ
川からひかれた水をたたえる池の中央には、上部にドー
ムをもつ金箔と白大理石の本体が立ち、ヒンドゥー教の
聖典が安置されている。

ハヌマン寺院 ★☆☆

Bara Hanuman Mandir／Ⓐ ਹਨੂਮਾਨ ਮੰਦਰ Ⓔ हनुमान मंदिर
Ⓤ ہنومان مندر

『ラーマーヤナ』で主人公ラーマを助ける猿神ハヌマン
がまつられたハヌマン寺院。この寺院で礼拝すると願い
がかなうという。

シータラ寺院 ★☆☆

Sheetla Mandir／Ⓐ ਸ਼ੀਤਲਾ ਮੰਦਰ Ⓔ शीतला मंदिर／Ⓤ شیتلا مندر

アムリトサルで最古のヒンドゥー寺院で、シータラ・マ
タ女神(ドゥルガー女神)に捧げられたシータラ寺院。1577年
のアムリトサルの建設以前からあり、村の守り神として

病気に苦しむ人たちの信仰を集めてきた。高さ2mほどの小さな寺院で、シヴァ神を意味するリンガが安置されている。この寺院の後方には古樹が立っている。

New Amritsar

新市街城市案内

シク王国の都として栄えたアムリトサル
19世紀中ごろからイギリス統治がはじまると
街の北西郊外が開発された

アムリトサル駅 ★☆☆
Amritsar Junction Railway Station　ⓐ ਅੰਮ੍ਰਿਤਸਰ ਜੰਕਸ਼ਨ
ⓣ अमृतसर जंक्शन रेलवे स्टेशन　ⓤ امرتسر جنکشن ریلوے اسٹیشن

　旧市街の北西外側に位置するアムリトサル駅。イギリス植民地時代の1859年に建設がはじまり、1862年に完成した。当初、アムリトサルとラホール(パキスタン)を結び、1865年にはムルタン(パキスタン)まで伸びる鉄道が通じた。現在はこの街を訪れる人の玄関口になっている。

グランド・トランク・ロード ★☆☆
Grand Trunk Road　ⓐ ਗ੍ਰੈਂਡ ਟਰੰਕ ਰੋਡ　ⓣ ग्रैंड ट्रंक रोड　ⓤ گرینڈ ٹرنک روڈ

　北インドを東西に走る大幹道のグランド・トランク・ロード(GTロード)。ムガル帝国時代に整備され、カブールからペシャワール、ラホール、アムリトサル、デリー、そしてコルカタまで道は伸びていた。シク王国マハラジャ・ランジート・シング(1780～1839年)の時代、このルートを使った交易でアムリトサルはかつてない繁栄を見せていた。アムリトサルを走る現在のグランド・トランク・ロードは、1848年に整備され、インドの国道1号線となっている。

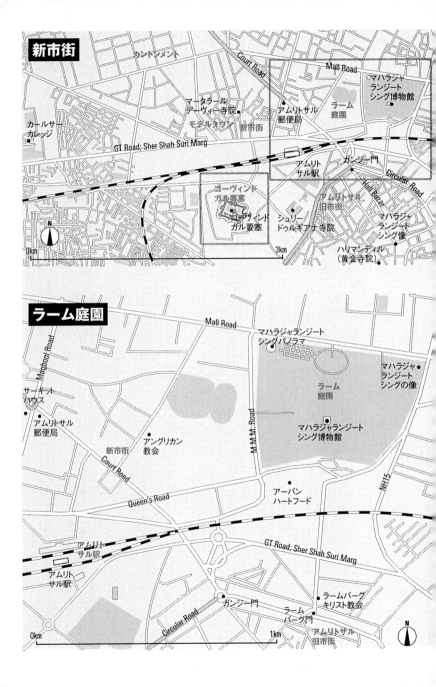

新市街

- カントンメント
- Court Road
- Mall Road
- マハラジャランジートシング博物館
- マータラールデーヴィー寺院
- モデルタウン 新市街
- アムリトサル郵便局
- ラーム庭園
- カールサーカレッジ
- GT Road; Sher Shah Suri Marg
- アムリトサル駅
- ガンジー門
- Circular Road
- ゴーヴィンドガル要塞
- ゴーヴィンドガル要塞
- シュリードゥルギアナ寺院
- アムリトサル旧市街
- Mall Bazar
- マハラジャランジートシング像
- ハリマンディル（黄金寺院）
- N
- 0km
- 3km

ラーム庭園

- Mall Road
- マハラジャランジートシングパノラマ
- Maqbool Road
- サーキットハウス
- アムリトサル郵便局
- 新市街
- アングリカン教会
- Court Road
- ラーム庭園
- M.M.M.Road
- マハラジャランジートシングの像
- マハラジャランジートシング博物館
- NH15
- Queen's Road
- アーバンハートフード
- アムリトサル駅
- GT Road; Sher Shah Suri Marg
- アムリトサル駅
- Circular Road
- ガンジー門
- ラームバーグ門
- ラームバーグキリスト教会
- アムリトサル旧市街
- N
- 0km
- 1km

カントンメント ★☆☆

Cantonment／⑪ बेनटॉनमेन्ट／⑭ कन्टोनमेंट　⑦

　シク戦争に勝利したイギリスは、1849〜1947年のあ
いだアムリトサルを統治し、アーグラやラホール、バラナ
シなどとともに新市街(軍の駐屯地)のカントンメントが築
かれた。アムリトサルのカントンメントは、旧市街の北西
郊外に1856年に整備され、1853年創建の聖ポール教会、
1859年創建のアングリカン教会、1862年のアムリトサル
鉄道駅、アムリトサル郵便局というようにイギリス植民
都市として発展した(イギリスでは品質の高いアムリトサル・カシミ
ヤを使用したティー・ガウンが流行した)。鉄道駅のすぐ北側にイ
ギリス人たちの暮らしたモデル・タウン、さらに北西に軍
駐屯地のカントンメントがあった。

★★★
黄金寺院 (ハリ・マンディル) *Golden Temple (Hari Mandir)*
アムリトサル旧市街 *Old Amritsar*

★★☆
ラーム庭園 *Ram Bagh*
ゴーヴィンド・ガル要塞 *Govind Garh Fort*
シュリー・ドゥルギアナ寺院 *Shri Durgiana Tirth*
マハラジャ・ランジート・シング像 *Statue of Maharaja Ranjit Singh*

★☆☆
アムリトサル駅 *Amritsar Junction Railway Station*
グランド・トランク・ロード *Grand Trunk Road*
カントンメント *Cantonment*
アングリカン教会 *Anglican Church*
アムリトサル郵便局 *Head Post Office Amritsar*
サーキット・ハウス *Circuit House*
マータラール・デーヴィー寺院 *Mata Lal Devi Mandir*
マハラジャ・ランジート・シング博物館 *Maharaja Ranjit Singh Museum*
マハラジャ・ランジート・シング・パノラマ *Maharaja Ranjit Singh Panorama*
アーバン・ハート・フード *Urban Haat Food*
カールサー・カレッジ *Khalsa College*
ラームバーグ門 *Ram Bagh Gate*
ラームバーグ・キリスト教会 *Christ Church Cathedral*
ホール・バザール *Hall Bazar*

アングリカン教会 ★☆☆

Anglican Church　Ⓗ ਐਂਗਲੀਕਨ ਗਿਰਜਾ ਘਰ　Ⓔ अंगलिकन चर्च
Ⓤ انگلیکن چرچ

　イギリス統治時代の1859年に創建されたアングリカン教会。石づくりのキリスト教会で、英国国教会のもの。日曜日に礼拝に訪れる人の姿がある。

アムリトサル郵便局 ★☆☆

Head Post Office Amritsar　Ⓗ ਹੈਡ ਡਾਕਖਾਨਾ ਅੰਮ੍ਰਿਤਸਰ　Ⓔ डाकघर
Ⓤ ڈاک خانہ

　19世紀のイギリスによる街づくりは、東西に走るグランド・トランク・ロードと北西のシアールコート(現パキスタン)に向かって走るコート・ロード(当初のシアールコート・ロード)を軸に進められた。コート・ロードで最初につくられたのがこの郵便局で、1862年の創建。集配ネットワーク、均一料金などの郵便制度は近代国家を象徴するもので、イギリスからはじまり世界に広まっていった。

サーキット・ハウス ★☆☆

Circuit House　Ⓗ ਸਰਕਟ ਹਾਊਸ　Ⓔ सर्किट हाउस　Ⓤ سرکٹ ہاؤس

　コート・ロードとアルバート・ロードの交わる交差点(リアルト・チョウク)に位置するサーキット・ハウス。イギリス統治時代に建てられた植民建築で、本体は白、屋根部分は赤色に彩色されている。1階は外部に対して開放的な回廊となっていて、インドの気候にあわせた設計となっている。

マータラール・デーヴィー寺院 ★☆☆

Mata Lal Devi Mandir　Ⓗ ਮਾਤਾ ਲਾਲ ਦੇਵੀ ਮੰਦਰ /
Ⓔ माता लाल देवी मंदिर　Ⓤ ماتا لال دیوی مندر

　モデル・タウンに位置するマータラール・デーヴィー寺院。ドゥルガー女神に重ねて見られるマータラール女神がまつられている。

街ではいろいろな料理を食べられる

新市街に立つカールサー・カレッジ

街の北西にそびえるゴーヴィンド・ガル要塞

リキシャが足代わりになる

ラーム庭園 ★★☆

Ram Bagh／ⓗ ਰਾਮ ਬਾਗ਼ ⒠ राम बाग ／ⓤ باغ رام

　旧市街の北500mに位置するラーム庭園は、「パンジャーブの獅子」とたたえられたシク王国のマハラジャ・ランジート・シング(1780～1839年)によって整備され、マハラジャが夏を過ごす離宮がおかれていた(ランジート・シングは同様に北西500mにゴーヴィンド・ガル要塞を築いている)。当時、シク王国の領土は、西はペシャワール、北はカシミールにおよぶ広大なものとなっていて、首都がラホール、聖地のあるアムリトサルは宗教都市、交易都市という性格をもち、マハラジャが夏を過ごした。1819年にラホールのシャリマール庭園をもして設計され、中央にマハラジャの夏の離宮をおくガーデンハウスだった。ラーム庭園という名称は、1577年にアムリトサルの街を造営した第4代グル・ラームダースからとられていて、1840年にイギリスがこの地を占領すると、カンパニー・バーグと改名された(東インド会社＝East India Companyに由来する)。中央の夏の宮殿は博物館になっているほか、北西隅にマハラジャ・ランジート・シング・パノラマ、北東隅に馬に乗ったマハラジャランジート・シングの像が立つ。

マハラジャ・ランジート・シング博物館 ★☆☆

Maharaja Ranjit Singh Museum　ⓗ ਮਹਾਰਾਜਾ ਰਣਜੀਤ ਸਿੰਘ ਅਜਾਇਬ ਘਰ
⒠ महाराजा रणजीत सिंह संग्रहालय ／ⓤ عجائب گھر مہاراجہ رنجیت سنگھ

　インド北西部に広がる広大な領土を抱えていたシク王国のマハラジャ・ランジート・シング(1780～1839年)の「サマーパレス」こと夏の離宮だった場所で、1977年に博物館に改装された。マハラジャは幼児のときに天然痘にかかり、片目で外見はよくなかったが、美を好み、当時、世界で一番大きなダイヤモンドのコ・イ・ヌールを身につけていた(冬はサフラン色のカシミアの長衣、夏は白モスリンの単衣をまと

い、長椅子にあぐらをかいて坐った）。この時代、パンジャーブ語の辞書や文法書が出版されるなど、マハラジャの保護のもとアムリトサルの文化や芸術が大いに栄えた。マハラジャ・ランジート・シング博物館には、当時の武器、鎧、コイン、写本、パンジャーブ王族の肖像画などが展示されている。

マハラジャ・ランジート・シング・パノラマ ★☆☆
Maharaja Ranjit Singh Panorama ／Ⓟ ਮਹਾਰਾਜਾ ਰਣਜੀਤ ਸਿੰਘ ਪਨੋਰਮਾ
Ⓣ महाराजा रणजीत सिंह पैनोरमा　Ⓤﭘﺎﻧﻮﺭﻣﺎ ﺭﻧﺠﻴﺖ ﺳﻨﮕﮭ ﻣﮩﺎﺭﺍﺟﮧ

　庭園の北西隅に立つ2階建ての円形の建物マハラジャ・ランジート・シング・パノラマ。シク王国ランジート・シング(1780〜1839年)の活躍を視覚的に見せる博物館で、マハラジャの戦いが再現された絵画が安置されている。

アーバン・ハート・フード ★☆☆
Urban Haat Food ／Ⓟ ਬਹਿਰੀ ਹਾਟ ਫੂਡ ਗਲੀ ／Ⓣ अर्बन हाट ／Ⓤﺍﺭﺑﻦ ﮨﺎﭦ

　イギリス統治時代のヴィクトリア病院だった建物を改修して生まれ変わったアーバン・ハート・フード。アムリトサルの料理(パンジャーブ料理)を紹介し、クルチャ、ラッシー、魚料理や肉料理、野菜料理が食べられるフードコートとなっている。「ハート」とはインド北部の農村部で開かれてきた市場を意味する。

マハラジャ・ランジート・シングの勇姿

アムリトサル郊外城市案内

インドとパキスタンにまたがるパンジャーブ地方
アムリトサル郊外にはワガ国境や
『ラーマーヤナ』ゆかりの地も位置する

ゴールデン・ゲート ★☆☆

Golden Gate／Ⓐ ਗੋਲਡਨ ਗੇਟ　Ⓗ गोल्डन गेट　Ⓤ گولڈن گیٹ

　デリーとアムリトサルを結ぶグランド・トランク・ロード(国道1号線)上に立つゴールデン・ゲート。通りをまたぐようにそびえる巨大な門で、黄金寺院を模した設計となっている。アムリトサルに着いたことがわかる、この街のエントランスの役割を果たしている(デリー方面、市街南東部に位置する)。アムリトサル・ゲートともいう。

ラーマ寺院(ヴァールミーキ寺院) ★★☆

Bhagwan Valmiki Tirath Sthal (Sri Ram Tirath)　Ⓐ ਭਗਵਾਨ ਵਾਲਮੀਕੀ ਤੀਰਥ ਅਸਥਾਨ
Ⓗ भगवान वाल्मीकि तीर्थ स्थल　Ⓤ بھگوان والمیکی تیرتھ استھان

　インドの古代叙事詩『ラーマーヤナ』が記された場所と伝えられるラーマ寺院。『ラーマーヤナ』はアヨーディヤーの王子ラーマ(ラーマ神)が、魔王ラーヴァナによってランカー島(スリランカ)に連れ去られたシーター姫を奪還するという物語で、『マハーバーラタ』とならび称されている。ラーマ寺院は、ラーマとシーターの双子ラヴァとクシャを出産した場所だとされ、『ラーマーヤナ』の著者ヴァールミーキの庵があったともいう。アムリトサルから12km離れた寺院複合体で、特徴ある円形シカラをもつ寺院、詩仙ヴァールミーキの庵、叙事詩の場面を描いた彫

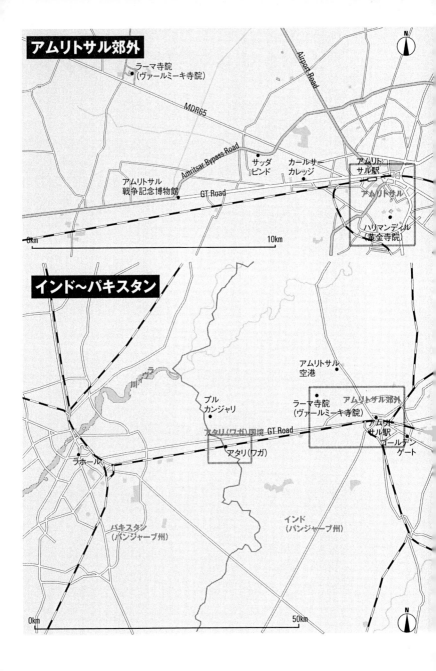

刻のほか、母となったシーター姫が入浴していた沐浴池
も残る。

カールサー・カレッジ ★☆☆

Khalsa College ⓟ ਖ਼ਾਲਸਾ ਕਾਲਜ ⓗ खालसा कॉलेज ⓤ خالصہ کالج

　アムリトサルの西郊外に位置するカールサー・カレッ
ジ。北インドでもっとも古い大学のひとつで、イギリス統
治時代の1892年に設立された。バイ・ラム・シン(1858〜1916
年)の設計した赤のドームをもつ時計塔のカールサー・カ
レッジ・ビルディングが壮大なたたずまいを見せ、この建
築はインド・サラセン様式の傑作にあげられる。カール
サーとはシク教徒の集団のことで、カールサー・カレッジ
はシク教徒(パンジャーブ人)の高等人材を輩出してきた。

サッダ・ピンド ★☆☆

Sadda Pind／ⓟ ਸਾਡਾ ਪਿੰਡ ⓗ सदा पिंड ⓤ سدا پنڈ

　アムリトサル郊外に位置し、パンジャーブ地方の伝統
的な集落や生活が再現されたサッダ・ピンド。カラフル
な建物が続く石畳の通り、美しい女性のドレス、装飾、シ
ク教徒の武術(ガトカ)、職人のつくる工芸品、人形劇、パン
ジャーブ料理などを体験できる。2016年に開業した。

★★★
黄金寺院 (ハリ・マンディル) *Golden Temple (Hari Mandir)*
★★☆
ラーマ寺院 (ヴァールミーキ寺院) *Bhagwan Valmiki Tirath Sthal (Sri Ram Tirath)*
アタリ (ワガ) *Atari*
★☆☆
ゴールデン・ゲート *Golden Gate*
カールサー・カレッジ *Khalsa College*
サッダ・ピンド *Sadda Pind*
アムリトサル戦争記念博物館 *War Memorial*
プル・カンジャリ *Pul Kanjari*
グランド・トランク・ロード *Grand Trunk Road*

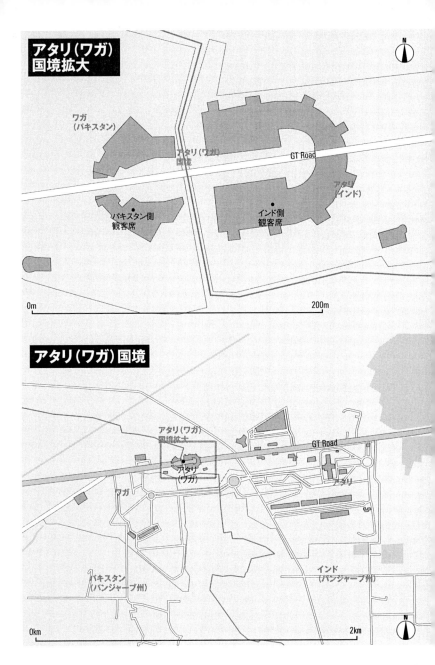

アタリ（ワガ）
国境拡大

N

ワガ
（パキスタン）

アタリ（ワガ）
国境

GT Road

パキスタン側
観客席

インド側
観客席

アタリ
（インド）

0m   200m

アタリ（ワガ）国境

アタリ（ワガ）
国境拡大

GT Road

アタリ
（ワガ）

アタリ

ワガ

パキスタン
（パンジャーブ州）

インド
（パンジャーブ州）

N

0km   2km

アムリトサル戦争記念博物館 ★☆☆

War Memorial Ⓟ ਪੰਜਾਬ ਰਾਜ ਜੰਗੀ ਨਾਇਕ ਯਾਦਗਾਰ ਮਿਊਜ਼ੀਅਮ
Ⓗ वॉर मेमोरियल और म्यूजियम　Ⓤ جنگ یادگاری اور میوزیم

アムリトサルとアタリ（ワガ）国境を結ぶグランド・トランク・ロード上に立つアムリトサル戦争記念博物館。イギリス統治下にあったインドは、イギリス軍としてふたつの世界大戦に参加し、とくに武勇に優れたシク教徒は軍人として活躍した。この博物館は、第6代グル・ハルゴーヴィンド（1595〜1644年）の武装、シク王国、イギリス統治時代、またその後の戦争や軍事をテーマとする。高さ45mになる剣状のモニュメントが立つほか、戦闘機も展示されている。

プル・カンジャリ ★☆☆

Pul Kanjari ／Ⓟ ਪੁਲ ਕੰਜਰੀ　Ⓗ पुल कंजरी ／Ⓤ پل کنجری

印パ国境近くに残るシク王国マハラジャ・ランジート・シング（1780〜1839年）ゆかりのプル・カンジャリ。シク王国のふたつの都アムリトサルとラホール双方の中間地点（35km）にあり、ランジート・シングは妻モラン・サルカールとともにしばしばこの地で休息していた。プル・カンジャリという名前はアムリトサルとラホールを結ぶ運河に架けられた橋の名前からとられていて、沐浴場、グルドワーラー、イスラム聖者廟などが残る。

アタリ（ワガ）★★☆

Atari（Wagha）Border ／Ⓟ ਅਟਾਰੀ (ਵਾਹਗਾ ਬਾਰਡਰ)
Ⓗ अटारी (वाचा) ／Ⓤ اٹاری (واہگہ بارڈر)

1947年の印パ分離独立で、パンジャーブ地方はインド

側パンジャーブとパキスタン側パンジャーブにわかれ、イスラム教徒はパキスタン側へ、シク教徒やヒンドゥー教徒はインド側へ移動した。アムリトサルの西30kmには印パ国境線が走り、国境の町アタリを越えるとパキスタン側のワガの町に入る（1947年に国境線がひかれたため、ひと続きだった村は分断された）。ここでは毎日、夕暮れの国境閉鎖時にインドとパキスタン双方による国旗降納式「フラッグ・セレモニー」が開催され、制服、かぶりもの姿の両者の軍人が相手を威嚇するような大きな動きをして、国威発揚を行なう。多くの観客がそのセレモニーを見守り、緊張感や融和といったインドとパキスタンの関係や政治的局面を象徴する国境となっている。またアタリ＝ワガ国境から西30kmにはパキスタン側パンジャーブ州の州都ラホールがあり、インドからパキスタンへとグランド・トランク・ロードが続いていく。

パキスタン側パンジャーブにあるラホール

大量のバナナを運ぶ人

毎日、フラッグ・セレモニーが行なわれる

インドとパキスタンを結び、わけるワガ国境

夜、ライトアップされた聖地

肖像画に描かれたシク教徒

この地で生まれたシク教

独特の風貌で知られるシク教徒
その強靭さから軍隊で活躍している者も多い
この地の風土に育まれたシク教

パンジャーブとは

　パンジャーブ地方はインドとパキスタンにまたがり、この地方を流れるサトレジ川、ビーズ川、ラヴィ川、チナーブ川、ジェラム川という5つの河川が地名の由来となっている（以上の川が東から西に走り、インダス河に合流する。インダス河を5つの河川のひとつに数える場合もある）。川のあいだの大地は「両水」を意味するドアーブと呼ばれ、ラヴィ川とビーズ川のあいだをバリ・ドアーブ、ビーズ川とサトレジ川のあいだをビスト・ドアーブという。この河川群の流域と、その南に広がるマルワ地方を加えたところをパンジャーブ平原と呼ぶ。ここは中央アジアから繰り返し、インド亜大陸に進出した勢力にとって、最初の根拠地（インドへの入口）となった場所で、北インドの古戦場はパンジャーブ地方に集中している。アムリトサルはラホールとともにこの地方の中心地だったところで、豊富な穀物やさとうきびなどが集散される（アムリトサルは亜熱帯で、降水量は少ないが、降雨の69％が7～9月の夏に集中する）。なおシク教徒が死んだら、火葬して遺骨はパンジャーブのひとつサトレジ川に流される。

グル・ナナクと生誕祭

　中世以来、パンジャーブ地方はヒンドゥー教徒とイスラム教徒の交錯する地となっていた。こうした背景のなか、パンジャーブ地方ラホール近郊で生まれたグル・ナナク(1469〜1538年)によってシク教ははじめられた。ヒンドゥー教とイスラム教の枠を超えて、「すべての人間は平等である」と説いた宗教改革者カビールの影響を受け、グル・ナナクは各地を遍歴しながら唯一永遠の神への信仰(シク教)を布教した。グルとはサンスクリット語で「師」「教師」「長老」を意味し、その「弟子」をシシュヤと呼ぶ(シク教という名称はこのシシュヤからとられている)。グル・ナナクからシク教グルは10代続き、その後はシク教聖典がグルの役割を果たすようになった。グル・ナナクの生誕日は、グルナナク・ジャヤンティとして共和国記念日、シヴァ神やクリシュナ神の生誕日、イスラム教の犠牲祭や新年、ガンジー生誕日、ディワリなどとともに、祝日としてインド全域で祝われる。

カールサーに属するシク教徒

　一般的なシク教徒の男子は5人からなるシク教徒の集団カールサーをつくっていて、その入団式ではアムリトが飲まれる。このカールサーはシク教徒の信仰を守るため、第10代グル・ゴーヴィンド・シングによってはじめられ、ケーシャ(切らない髪や髭)、カンガー(櫛)、カラー(鉄製の腕輪)、カッチャー(ゆったりとしたズボン下)、キルパーン(刀)という5つの「K」が外見的シンボルとされる。またシク教徒の男子は、「獅子」を意味するシングを名前につけている。

シク王国からインド独立へ

　18世紀、ムガル帝国が衰退するなかで、パンジャーブ地方ではシク教徒の勢力がいくつも併存していた。そのようななかランジート・シングはシク教徒をまとめ、1801年にラホールに入城してシク王国を樹立。シク王国はパンジャーブ地方を中心に広がったが、二度のシク戦争を経てイギリスに組み込まれることになった（パンジャーブ地方はコルカタを拠点とした英領インドに対して、最後まで独立をたもった勢力だった）。1947年の印パ分離独立までシク教徒は国境をまたいで暮らしていたが、ムガル帝国時代に弾圧されたイスラム教ではなく、ヒンドゥー教徒が多く住むインド側に移り住んだ。こうしてインドにもパキスタンにもパンジャーブ州ができることになった。インド側パンジャーブ州はその後、パンジャーブ語母語地域「パンジャーブ州」とヒンディー語母語地域「ハリヤナ州」に再分離したが、パンジャーブ州ではシク教第2代グル・アンガッド（1504〜52年）が制定したグルムキー文字が今でも使われている。

『インド建築案内』(神谷武夫/TOTO出版)

『シク教』(コール&サンビー/筑摩書房)

『シク教』(コウルシング/青土社)

『シーク教の人びと』(ランジート・アローラ/リブリオ出版)

『シーク教の世界』(ダルジートシング/帝国書院)

『印度藩王国』(ウイリアム・バートン/中川書房)

『もっと知りたいインド』(佐藤宏・内藤雅雄・柳沢悠/弘文堂)

『南アジア史 2(中世・近世)』(小谷汪之編／山川出版社)

『ジャリヤーンワーラー・バーグ』(Bhishm Sahni・岡口良子訳／ヒンディー文学)

『世界大百科事典』(平凡社)

Darbar Sahib Golden Temple Harmandir Amritsar https://www.goldentempleamritsar.org/

Punjab Tourism http://punjabtourism.gov.in/

District Amritsar, Government of Punjab https://amritsar.nic.in/

Best Historical place in Punjab | Gobindgarh Fort Amritsar https://fortgobindgarh.com/

Heritage Walk Amritsar https://www.amritsarheritagewalk.com/

HeritageWalk_Booklet

Analysis of Historical Areas, Structures, Lifestyles and Values: A Case of Amritsar

B Singh - Institute of Town Planners, India Journal,

India Rail Info https://indiarailinfo.com/

『The Golden Temple of Amritsar』(Amandeep Singh Madra & Parmjit Singh/Kashi House)

『160-year-old building razed in Amritsar for model railway station』(https://www.
hindustantimes.com/)

『Celebrating heritage: Experience the culture, colours and flavours of Punjab at Sadda Pind.』
(Preet Onkar Singh/India Today)

Times of India: News - https://timesofindia.indiatimes.com/

The Tribune India https://www.tribuneindia.com/

Khalsa College Amritsar http://khalsacollege.edu.in/

Sadda Pind https://www.saddapind.co.in/

Amritsar https://amritsarcity.co.in/

写真提供 Pixabay https://pixabay.com、Unsplash https://unsplash.com/

rajupamdey/Shutterstock.com、Olena Z/Shutterstock.com、saiko3p/Shutterstock.com

パンジャーブ語監修 VAISHALI TRAVELS JAPAN

ヒンディー語鈴木

ヒンディー語/ウルドゥー語　MMヒンドゥスターニー倶楽部

OpenStreetMap

(C)OpenStreetMap contributors

アムリトサル／シク教徒と「黄金寺院」

まちごとパブリッシングの旅行ガイド

Machigoto INDIA , Machigoto ASIA , Machigoto CHINA

アムリトサル／シク教徒と「黄金寺院」

マカオ-まちごとチャイナ

Juo-Mujin（電子書籍のみ）

自力旅游中国Tabisuru CHINA

旅のインド文字

英語
パンジャーブ語
ヒンディー語
ウルドゥー語

英語 = アルファベット
パンジャーブ語 = グルムキー文字
ヒンディー語 = デーヴァナーガリー文字
ウルドゥー語 = ウルドゥー文字

アムリトサル
Amritsar

ਅੰਮ੍ਰਿਤਸਰ

अमृतसर

امرتسر

ハリ・マンディル
Hari Mandir

ਹਰਿਮੰਦਰ ਸਾਹਿਬ

हरिमन्दिर साहिब

ہر مندر صاحب

時計塔
Clock Tower

ਕਲਾਕ ਟਾਵਰ

घंटाघर

گھڑی ٹاور

シク中央博物館
Central Sikh Museum

ਸਿੱਖ ਅਜਾਇਬ ਘਰ

सेंट्रल सिख म्यूज़ियम

مرکزی سکھ میوزیم

アムリタ・サラス（不死の池）
Amrita Saras

ਸਰੋਵਰ

जलाशय

تالاب

ダク・バンジャーニ・ベリ
Dukh Bhanjani Beri

ਦੁਖ ਭੰਜਨੀ ਬੇਰੀ

दुख भांजनी बेरी

دیکھ بھنجانی بیری

ラムガリア・ブンガ Ramgarhia Bunga	アカリ・タクト Akal Takht
ਰਾਮਗੜ੍ਹੀਆ ਬੁੰਗਾ रामगढ़िया बुंगा رامگڑیا بونگا	ਅਕਾਲ ਤਖ਼ਤ अकाल तख़्त اکال تخت
グルドワーラー・ラーチ・ベル Gurudwara Lachi Ber	黄金寺院（ハリ・マンディル） Golden Temple（Hari Mandir）
ਗੁਰਦੁਆਰਾ ਲਾਚੀ ਬੇਰ गुरुद्वारा लाची बेर گرودوارہ لاچی بیر	ਹਰਿਮੰਦਰ ਸਾਹਿਬ गोल्डन टेम्पल ہر مندر صاحب
グル・グラント・サーヒブ Guru Granth Sahib	グルドワーラー・ターラ・サーヒブ Gurudwara Thara Sahib
ਗੁਰੂ ਗ੍ਰੰਥ ਸਾਹਿਬ गुरु ग्रंथ साहिब گرو گرنتھ صاحب	ਗੁਰਦੁਆਰਾ ਥੜ੍ਹਾ ਸਾਹਿਬ गुरुद्वारा थारा साहिब گرودوارہ تھارا صاحب
グルドワーラー・ベル・ババ・ブッダジー Gurudwara Ber Baba Buddha Ji	ランガル Guru Ka Langar
ਗੁਰਦੁਆਰਾ ਬਾਬਾ ਬੁਢਾ ਸਾਹਿਬ ਜੀ गुरुद्वारा बेर बाबा बुधा साहिब گرودوارہ بیر بابا بدھا جی	ਗੁਰੂ ਕਾ ਲੰਗਰ गुरु का लंगर لانگار

グルドワーラー・ババ・アタル・サーヒブ
Gurdwara Baba Atal Sahib

ਗੁਰਦੁਆਰਾ ਬਾਬਾ ਅਟਲ ਰਾਏ ਸਾਹਿਬ ਜੀ

गुरुद्वारा बाबा अटल साहिब

گرودواره بابا اٹل صاحب

カウルサル池
Kaulsar Sarovar

ਕੌਲਸਰ ਸਰੋਵਰ

कौल्सर सरोवर

کولسر سوروار

アムリトサル旧市街
Old Amritsar

ਪੁਰਾਣਾ ਅੰਮ੍ਰਿਤਸਰ

पुराना शहर

پرانا شہر

パーティション博物館（タウン・ホール）
Partition Museum

ਪਾਰਟੀਸ਼ਨ ਅਜਾਇਬ ਘਰ

पर्तितिओं म्यूज़ियम

پارٹیشن میوزیم

グルドワーラー・サントカサル・サーヒブ
Gurudwara Santokhsar Sahib

ਗੁਰਦੁਆਰਾ ਸੰਤੋਖਸਰ ਸਾਹਿਬ

गुरुद्वारा संतोखसर साहिब

گرودواره سنتوکسار صاحب

カトラ・ジャイマル・シン・マーケット
Katra Jaimal Singh Market

ਕਟੜਾ ਜੈਮਲ ਸਿੰਘ ਮਾਰਕੀਟ

कटरा जयमल सिंह मार्केट

کترا جمال سنگھ مارکیٹ

グルドワーラー・サラガリ
Gurdwara Saragarhi

ਸਾਰਾਗੜ੍ਹੀ ਮੈਮੋਰੀਅਲ ਗੁਰਦੁਆਰਾ

गुरुद्वारा सारागढ़ी

گورودواره ساراگڑی

マハラジャ・ランジート・シング像
Statue of Maharaja Ranjit Singh

ਮਹਾਰਾਜਾ ਰਣਜੀਤ ਸਿੰਘ ਦਾ ਬੁੱਤ

महाराजा रणजीत सिंह स्टैचू

مہاراجہ رنجیت سنگھ کا مجسمہ

Dharam Singh Market

ਧਰਮ ਸਿੰਘ ਮਾਰਕੀਟ

धर्म सिंह मार्केट

دھرم سنگھ مارکیٹ

Heritage Street

ਵਿਰਾਸਤ ਗਲੀ

हेरिटेज स्ट्रीट

ہریٹیجی گلی

Qila Ahlwalia

ਕਿਲਾ ਆਹਲੁਵਾਲੀਆ

किला अहलूवालिया

قلعہ اہلوالیہ

Jalebiwala Chowk

ਜਲੇਬੀ ਵਾਲਾ ਚੌਕ

जलेबीवाला चौक

جلیبی والا چوک

Sangawala Akhara

ਸੰਗਵਾਲਾ ਅਖਾੜਾ

सांगवाला अखाड़ा

سانگا والا اکھارا

Jalianwala Bagh

ਜਲਿਆਂ ਵਾਲਾ ਬਾਗ਼ਾ

जल्लिंवाला बाग

جلیانوالہ باغ

Chitta Akhara

ਚਿਟਾ ਅਖਾੜਾ

चिट्टा अखाड़ा

چٹہ اکھارا

Gurudwara Darshini Deori

ਗੁਰਦੁਆਰਾ ਦਰਸ਼ਨੀ ਡਿਉੜੀ

गुरुद्वारा दर्शनी देवरी

گرودوارہ درشنی دیوری

バーバ・ボーハール
Baba Bohar

ਬਾਬਾ ਬੋਹੜ

बाबा बोहर

بابا بوہڑ

タクルドワーラー・ダリアナ・マル
Thakurdwara Dariana Mal

ਠਾਕੁਰਦੁਆਰਾ ਡੇਰਿਆਨਾ ਮਾਲ

ठाकुरद्वारा दरियाणा मल

ٹھاکردوارہ دریانا مال

チョウラスティ・アタリ
Chaurasti Attari

ਚੌਰਸਤੀ ਅਟਾਰੀ

चौरासटी अटारी

چھائراستی اٹاری

タクサル（造幣局）
Taksal

ਟਕਸਾਲ

टकसाल

ٹکسال

タクルドワーラー・ライ・キシャンチャンド
Thakurdwara Rai Kishanchand

ਠਾਕੁਰਦਵਾਰਾ ਰਾਏ ਕਿਸ਼ਨਚੰਦ

ठाकुरद्वारा राय किशनचंद

ٹھاکردوارہ رائے کشن چند

タクルドワーラー・ラジャ・テジ・シン
Thakurdwara Raja Tej Singh

ਠਾਕੁਰਦੁਆਰਾ ਰਾਜਾ ਤੇਜ ਸਿੰਘ

ठाकुरद्वारा राजा तेज सिंह

ٹھاکردوارہ راجہ تیج سنگھ

グルドワーラー・グル・カ・マハル
Gurudwara Guru Ka Mahal

ਗੁਰਦੁਆਰਾ ਗੁਰੂ ਕਾ ਮਹਲ

गुरद्वारा गुरु का महल

گردوارہ گرو کا محل

クラウリング・ストリート
Crawling Street

ਕ੍ਰੂਲਿੰਗ ਗਾਲੀ

रेंगती हुई सड़क

رینگتی ہوئی سٹرک

グルドワーラー・ローガル・サーヒブ
Gurudwara Lohgarh Sahib

ਗੁਰਦੁਆਰਾ ਲੋਹਗੜ ਸਾਹਿਬ

गुरुद्वारा लोहगढ़ साहिब

گرودواره لو گڑھ صاحب

古道
Ancient Passage

ਪੁਰਾਣੀ ਬੀਤਣ

पुरानी गली

پرانی گلی

グルドワーラー・シャヒド・ガンジ・サーヒブ
Gurdwara Shaheed Ganj Sahib

ਗੁਰਦੁਆਰਾ ਸ਼ਹੀਦ ਗੰਜ ਸਾਹਿਬ

गुरुद्वारा शाहीद गंज साहिब

گرودواره شاہد گنجا صاحب

グルドワーラー・ビベクサル・サーヒブ
Gurdwara Bibeksar Sahib

ਗੁਰਦੁਆਰਾ ਬਿਬੇਕਸਰ ਸਾਹਿਬ

गुरुद्वारा बिबकेसर साहिब

گرودواره بیبیکسار صاحب

グルドワーラー・ラームサル
Gurdwara Ramsar

ਗੁਰਦੁਆਰਾ ਸ੍ਰੀ ਰਾਮਸਰ ਸਾਹਿਬ

गुरुद्वारा रामसर साहिब

گرودواره رامسار صاحب

ホール・バザール
Hall Bazar

ਹਾਲ ਬਜ਼ਾਰ

हॉल बाजार

ہال بازار

マスジッド・ジャン・ムハンマド
Masjid Jan Mohammad

ਮਸਜਿਦ ਜਾਨ ਮੁਹੰਮਦ

मस्जिद जान मुहम्मद

مسجد جان محمد

カイルッディーン・マスジッド
Khairuddin Masjid

ਮਸਜਿਦ ਖੈਰੁਦੀਨ

खैरुद्दिन मस्जिद

کھائرودین مسجد

ラームバーグ門
Ram Bagh Gate

ਰਾਮ ਬਾਗਾ ਫਾਟਕ

राम बाग गेट

رام باغ گیٹ

ラームバーグ・キリスト教会
Christ Church Cathedral

ਗਿਰਜਾਘਰ

क्राइस्ट चर्च कैथेड्रल

رامبرگ کیتھیڈرل

アカリ・フラ・シン・ブラージ
Akali Phoola Singh Burjh

ਅਕਾਲੀ ਫੁਲਾ ਸਿੰਘ ਬੁਰਜ

अकाली फूला सिंह बुर्ज

اکالی پھولا سنگھ برج

ゴーヴィンド・ガル要塞
Govind Garh Fort

ਗੁਰੂ ਗੋਬਿੰਦ ਗੜ੍ਹ ਕਿਲ੍ਹਾ

गोबिंदगढ़ किला

گوبند گڑھ قلعہ

城門と城壁
The Gates

ਫਾਟਕ

दरवाज़ा

دروازہ

バンガロー
Bungalow (Coial)

ਬੰਗਲਾ

बंगला

بنگلہ

トシャカナ
Toshakhana

ਤੋਸ਼ਾਖਾਨਾ

तोषख़ाना

توش خانہ

カース・マハル
Khas Mahal

ਖਾਸ ਮਹਿਲ

खास महल

خاص محل

दरबार हाल

दरबार हॉल

دربار ہال

ਹਾਟ ਬਾਜ਼ਾਰ

हाट बजार

ہات بازار

ਸ਼੍ਰੀ ਦੁਰਗਿਆਨਾ ਤੀਰਥ

श्री दुर्गियाना मंदिर

درگیانا مندر

ਹਨੂੰਮਾਨ ਮੰਦਰ

हनुमान मंदिर

ہنومان مندر

ਸ਼੍ਰੀਤਲਾ ਮੰਦਰ

शीतला मंदिर

شیتلا مندر

ਅੰਮ੍ਰਿਤਸਰ ਜੰਕਸ਼ਨ

अमृतसर जंक्शन रेलवे स्टेशन

امرتسر جنکشن ریلوے اسٹیشن

ਗ੍ਰੈਂਡ ਟਰੱਕ ਰੋਡ

ग्रैंड ट्रंक रोड

گرینڈ ٹرنک روڈ

केनटेनमैंट

कन्टोनमेंट

کینٹینمنٹ

アングリカン教会
Anglican Church

ਐਂਗਲੀਕਨ ਗਿਰਜਾ ਘਰ

अंगलिकन चर्च

انگلیکان چرچ

アムリトサル郵便局
Head Post Office Amritsar

ਹੈਡ ਡਾਕਖਾਨਾ ਅੰਮ੍ਰਿਤਸਰ

डाकघर

ڈاک خانہ

サーキット・ハウス
Circuit House

ਸਰਕਟ ਹਾਊਸ

सर्किट हाउस

سرکٹ ہاؤس

マータラール・デーヴィー寺院
Mata Lal Devi Mandir

ਮਾਤਾ ਲਾਲ ਦੇਵੀ ਮੰਦਰ

माता लाल देवी मंदिर

ماتا لال دیوی مندر

ラーム庭園
Ram Bagh

ਰਾਮ ਬਾਗ਼ਾ

राम बाग

رام باغ

マハラジャ・ランジート・シング博物館
Maharaja Ranjit Singh Museum

ਮਹਾਰਾਜਾ ਰਣਜੀਤ ਸਿੰਘ ਅਜਾਇਬ ਘਰ

महाराजा रणजीत सिंह संग्रहालय

مہاراجہ رنجیت سنگھ میوزیم

マハラジャ・ランジート・シング・パノラマ
Maharaja Ranjit Singh Panorama

ਮਹਾਰਾਜਾ ਰਣਜੀਤ ਸਿੰਘ ਪਨੋਰਮਾ

महाराजा रणजीत सिंह पैनोरमा

مہاراجہ رنجیت سنگھ پینورما

アーバン・ハート・フード
Urban Haat Food

ਸ਼ਹਿਰੀ ਹਾਟ ਫੂਡ ਗਲੀ

अर्बन हाट

اربن ہاٹ

Golden Gate

ਗੋਲਡਨ ਗੇਟ

गोल्डन गेट

گولڈن گیٹ

Bhagwan Valmiki Tirath Sthal（Sri Ram Tirath）

ਭਗਵਾਨ ਵਾਲਮੀਕੀ ਤੀਰਥ ਅਸਥਾਨ

भगवान वाल्मीकि तीर्थ स्थल

والمیکی مندر

Khalsa College

ਖਾਲਸਾ ਕਾਲਜ

खालसा कॉलेज

خالصہ کالج

Sadda Pind

ਸਾਡਾ ਪਿੰਡ

सड्डा पिंड

سادداپینڈ

War Memorial

ਪੰਜਾਬ ਰਾਜ ਜੰਗੀ ਨਾਇਕ ਯਾਦਗਾਰ ਮਿਊਜ਼ੀਅਮ

वॉर मेमोरियल और म्यूजियम

جنگ میموریل اور میوزیم

Pul Kanjari

ਪੁਲ ਕੰਜਰੀ

पुल कंजरी

پل کنجری

Atari（Wagha）

ਅਟਾਰੀ （ਵਾਹਗਾ ਬਾਰਡਰ）

अटारी （वाघा）

اٹاری / واہگہ

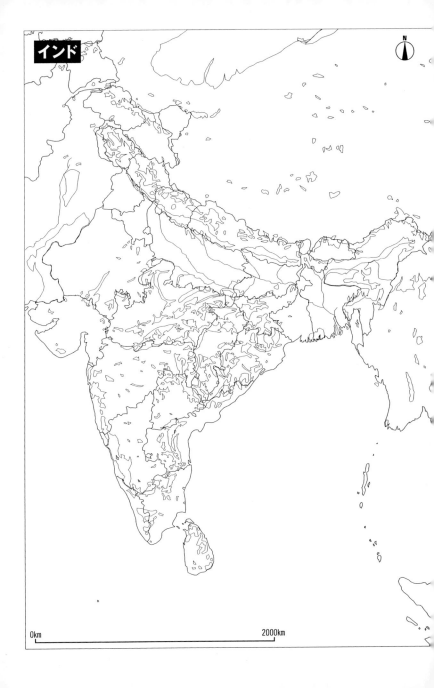

インド

N

0km   2000km

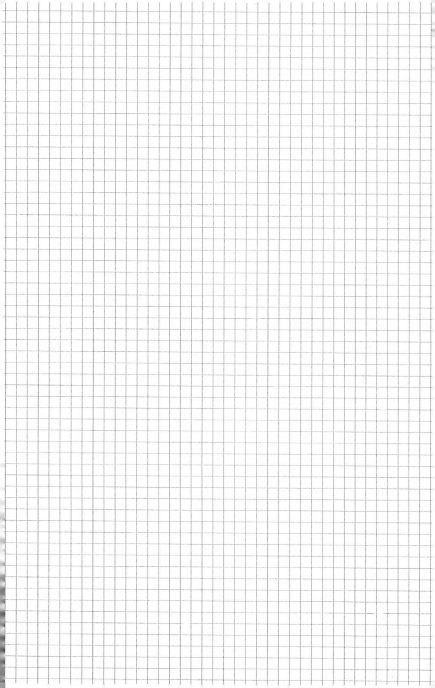

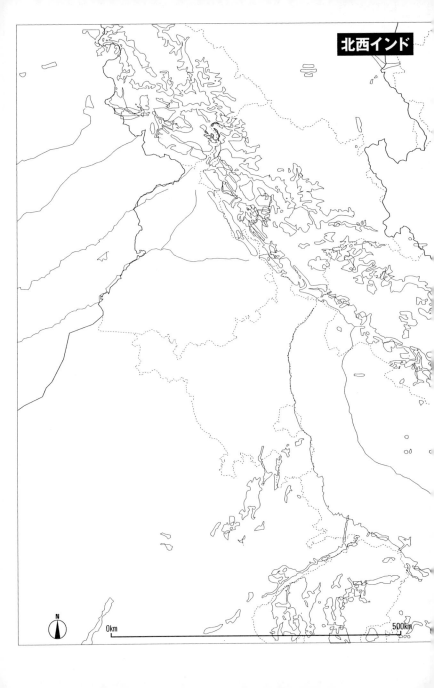

北西インド

N

0km   500km

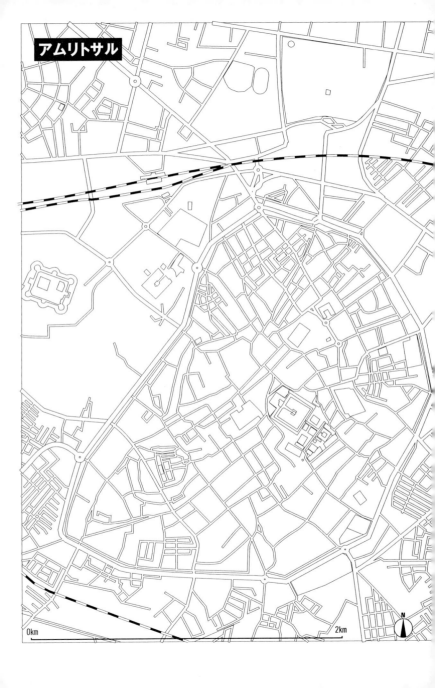

アムリトサル

0km   2km

N

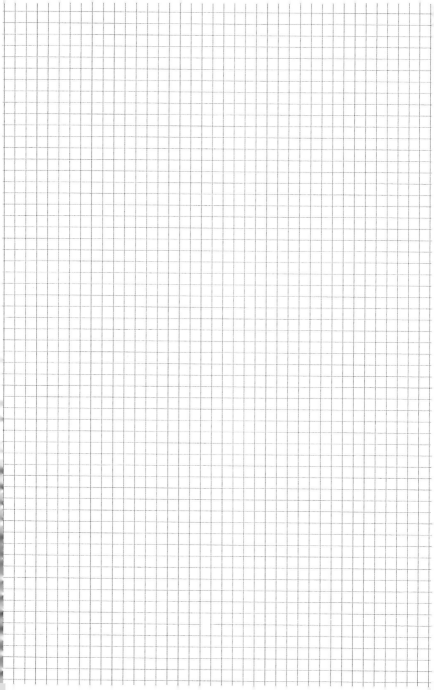

黄金寺院

0m   300m

N

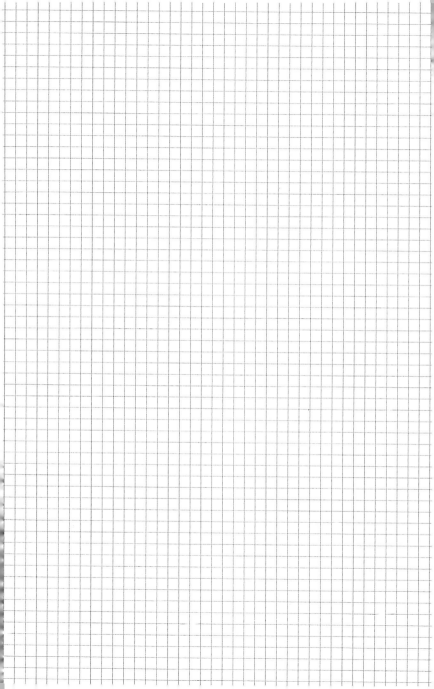

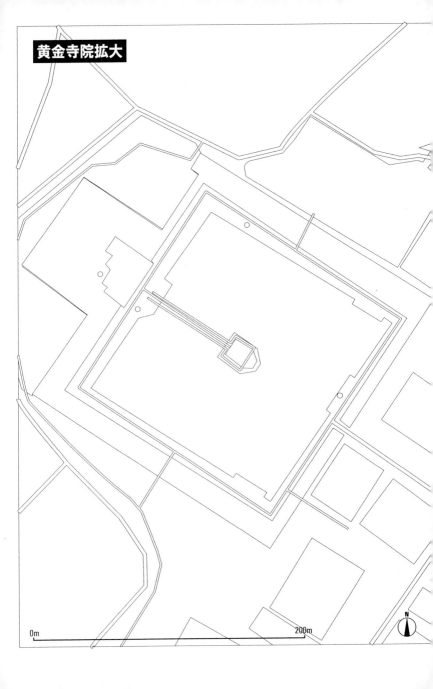

黄金寺院拡大

0m   200m

N

アムリトサル
旧市街中心部

0m

500m

N

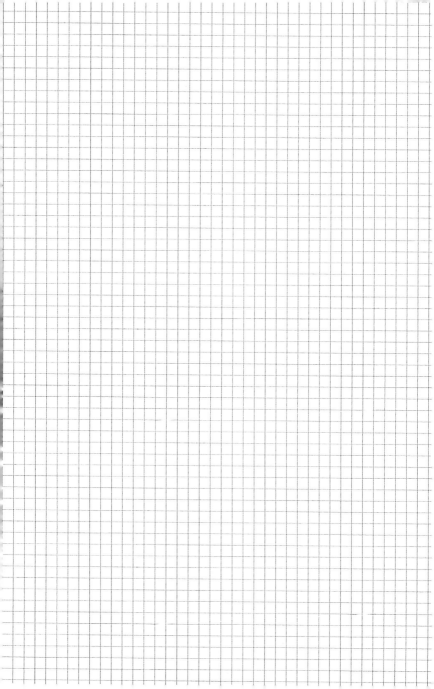

ジョリアーン
ワーラー庭園

N

0m   200m

旧市街北部

0m   500m

N

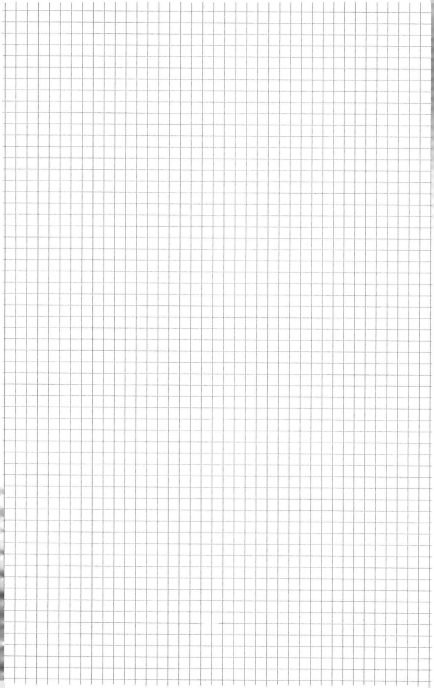

N

0m 300m

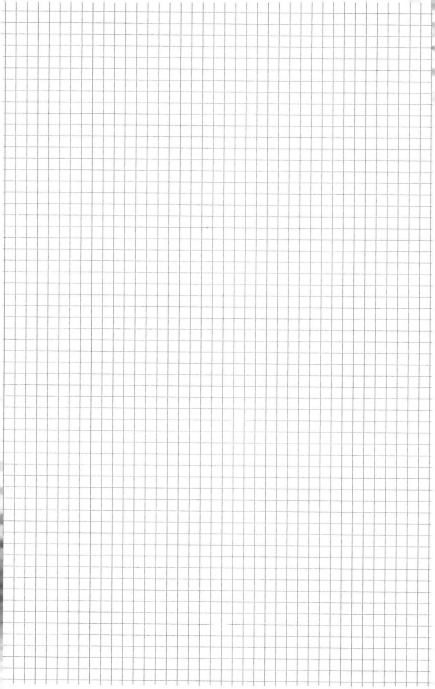

旧市街南部

0m　　　　　　　　　500m

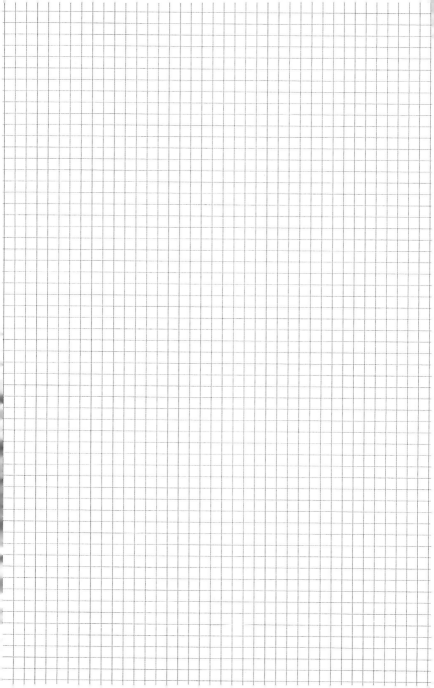

N

0km

1km

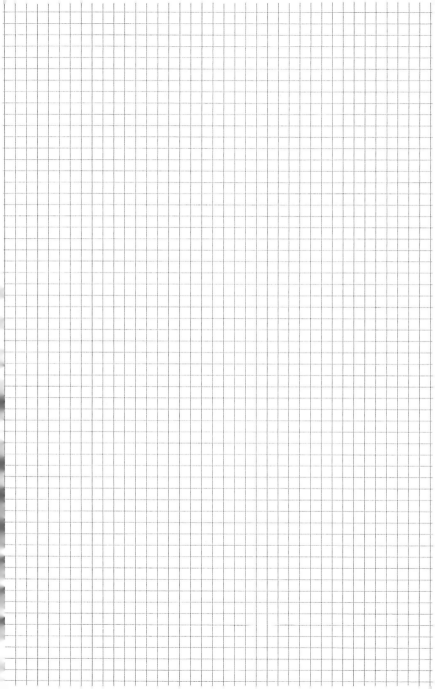

N

0m 300m

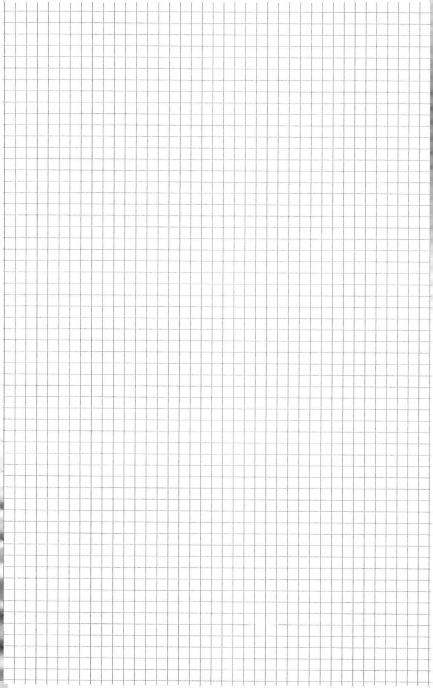

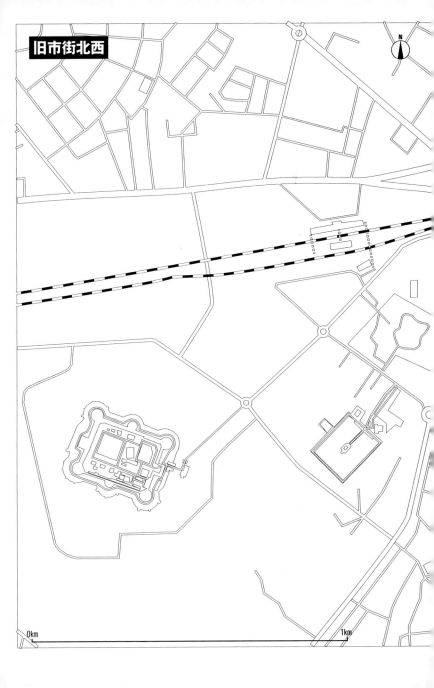

旧市街北西

N

0km 1km

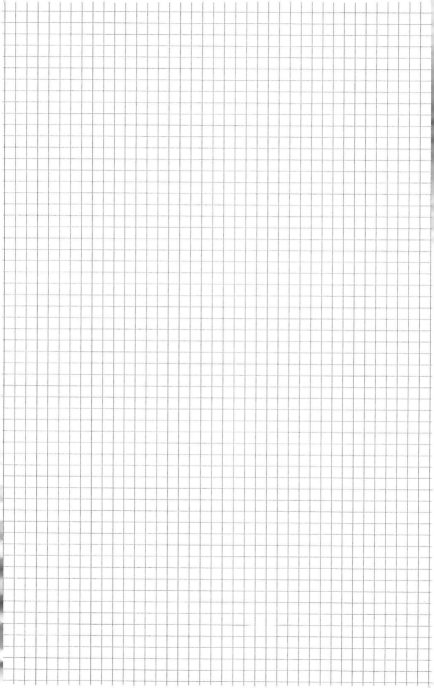

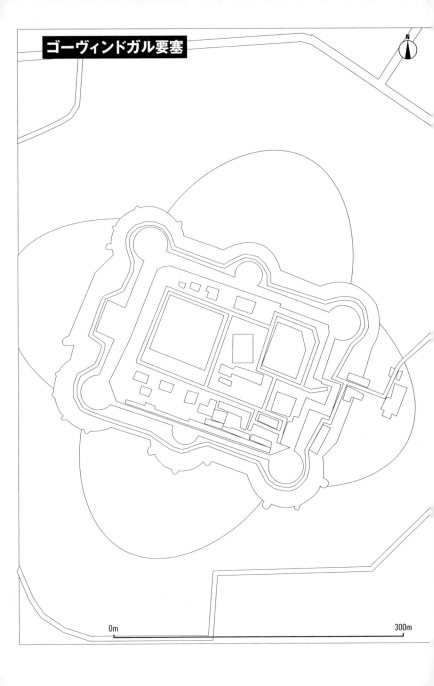

ゴーヴィンドガル要塞

N

0m   300m

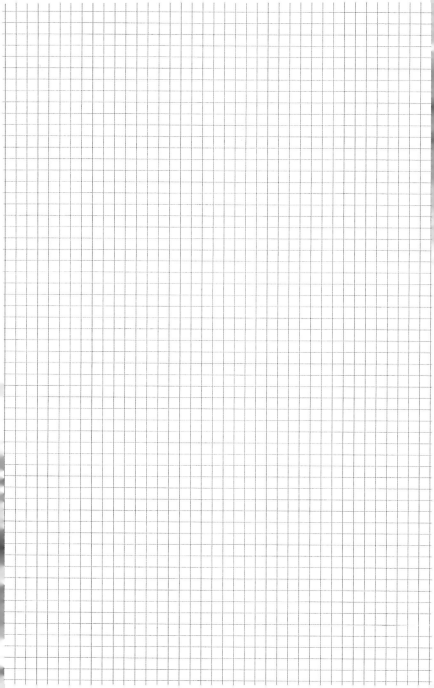

新市街

0km   3km

ラーム庭園

0km   1km

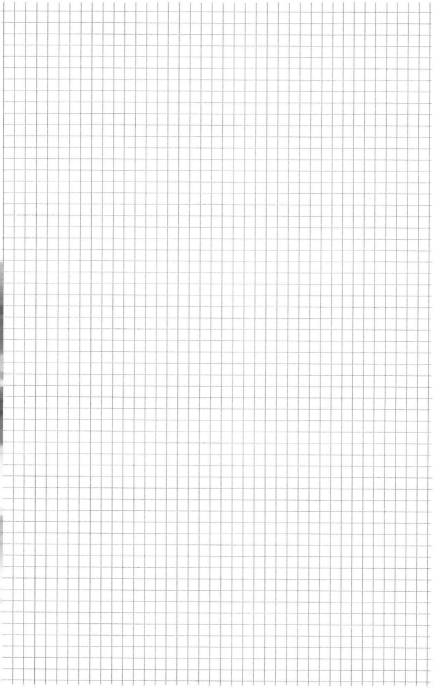

アムリトサル郊外

10km

0km

インド〜パキスタン

0km

50km

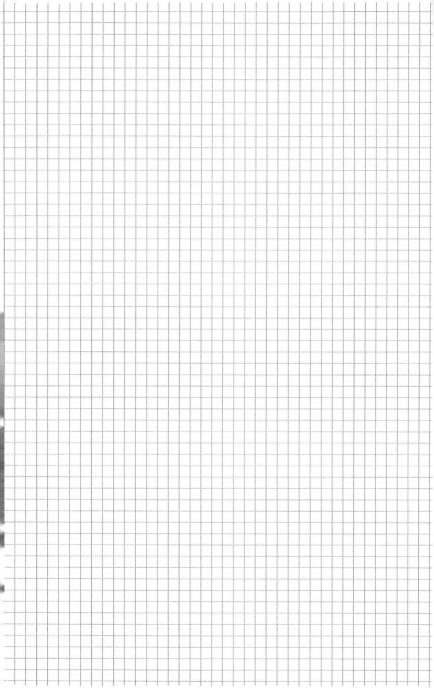

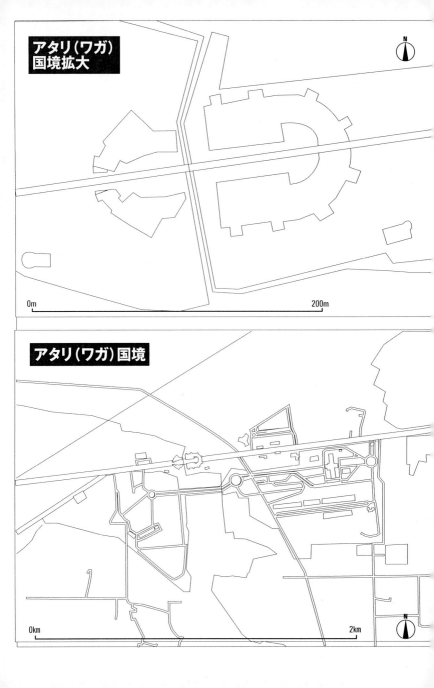

アタリ（ワガ）
国境拡大

0m　　　　　　　　　　　　　　　　　　　　　　200m

アタリ（ワガ）国境

0km　　　　　　　　　　　　　　　　　　　　　　2km

【車輪はつばさ】
南インドのアイラヴァテシュワラ寺院には
建築本体に車輪がついていて
寺院に乗った神さまが
人びとの想いを運ぶと言います

An amazing stone wheel of the Airavatesvara Temple
in the town of Darasuram, near Kumbakonam in the South India

まちごとインド
北インド 032

アムリトサル
シク教徒と「黄金寺院」
[モノクロノートブック版]

「アジア城市（まち）案内」制作委員会
まちごとパブリッシング
http://machigotopub.com

まちごとインド
新版 北インド032アムリトサル
　〜シク教徒と「黄金寺院」

2020年 9月11日　発行

著　者	「アジア城市（まち）案内」制作委員会
発行者	赤松　耕次
発行所	まちごとパブリッシング株式会社
	〒181-0013　東京都三鷹市下連雀4-4-36
	URL http://www.machigotopub.com/
発売元	株式会社デジタルパブリッシングサービス
	〒162-0812　東京都新宿区西五軒町11-13
	清水ビル3F
印刷・製本	株式会社デジタルパブリッシングサービス
	URL http://www.d-pub.co.jp/

MP321